COMO PERDONAR...
CUANDO NO LO SIENTES

JUNE HUNT

CLC EDITORIAL — CENTRO DE LITERATURA CRISTIANA

CENTRO DE LITERATURA CRISTIANA
en países de habla hispana

Bolivia	Calle Manuel Ignacio Salvatierra N° 190
	Santa Cruz
	gamaliel.padilla@clcbolivia.com
	Bolivia
Colombia:	Centro de Literatura Cristiana
	ventasint@clccolombia.com
	editorial@clccolombia.com
	Bogotá, D.C.
Chile:	Cruzada de Literatura Cristiana
	santiago@clcchile.com
	Santiago de Chile
Ecuador:	Centro de Literatura Cristiana
	ventasbodega@clcecuador.com
	Quito
España:	Centro de Literatura Cristiana
	madrid@clclibros.org
	Madrid
México:	www.clcmexicodistribuciones.com
	ventasint@clccolombia.com
	editorial@clccolombia.com
Panamá:	Centro de Literatura Cristiana
	clcmchen@cwpanama.net
	Panamá
Uruguay:	Centro de Literatura Cristiana
	libros@clcuruguay.com
	Montevideo
USA:	CLC Ministries International
	churd@clcpublications.com
	Fort Washington, PA
Venezuela:	Centro de Literatura Cristiana
	distribucion@clcvenezuela.com
	Valencia

EDITORIAL CLC
Diagonal 61D Bis No. 24-50
Bogotá, D.C., Colombia
editorial@clccolombia.com
www.clccolombia.com

ISBN: 978-958-8691-99-2

Cómo perdonar… cuando no lo sientes, por June Hunt

Edición y Diseño Técnico: Editorial CLC Colombia

Impreso en Colombia — Printed in Colombia

Somos miembros de la Red Letra Viva: www.letraviva.com

Este libro está dedicado a mi amiga de siempre, Bárbara…
a la primera amiga dispuesta a brindarme perdón total…
a mi "amiga llena de gracia" que quiso ver más allá de mi falta
para ver mi necesidad. Gracias por permitirle a Dios usar tu corazón perdonador
para ser parte de mi sanidad emocional y espiritual. Tu constancia le dio
esperanza a mi corazón.

RECONOCIMIENTOS

Tengo el privilegio de trabajar con, el que yo creo, es el más grandioso equipo en la tierra –el dedicado personal y los voluntarios de *Hope for Heart*. Gracias por sus fieles oraciones y su apoyo.

Con mi más sincero aprecio para:

-       Carolyn White, Elizabeth Gaston, Hill Prohaska y Barbara Spruill, quienes trabajaron incontables horas para hacer los últimos ajustes al manuscrito.

-       Keith Wall, quien convirtió una montaña de anotaciones de entrevistas, archivos de audio y materiales escritos en un maravilloso primer borrador.

-       Mark Overstreet, Brad Ray, y Jeanne Sloan, quienes me ayudaron a pensar en las piedras y gemas de una nueva manera

-       Connie Steindorf, Bea Garner, y Titus O'Bryant, cuyo apoyo detrás de la escena fue invaluable.

-       Steve Millar, mi editor de Harvest House, cuya gran habilidad le dio un toque de elegancia a estas páginas y,

-       Kay Deakins (quien merece una medalla) por mantenernos a todos en la tarea durante todo el proceso.

Finalmente, doy toda la alabanza a mi Señor y Maestro, Jesucristo, por no dejarme. Su perdón es la razón por la cual tengo una historia que contar acerca del cambio de vida que produce la libertad del verdadero perdón.

Una Nota Personal

Mientras escribía este libro, repetidamente venían a mi mente aquellos a quienes había herido en el pasado… y mi corazón sufrió por esto. No tengo excusa. No puedo ayudar, solamente pedir perdón desde lo más profundo de mi corazón. Muchas veces he orado: "Señor, permíteme ver mi pecado tal como Tú lo ves- hazme odiar mi pecado tal como Tú lo odias." Él ha respondido a esta oración con mucho dolor. Su amor purificador me ha permitido "andar en la luz, como Él anda en la luz". (1 Juan1:7).

Contenido

LA LUCHA POR PERDONAR

RESENTIMIENTO… IRA… RETALIACIÓN. ¿Alguna vez has luchado contra el perdón? ¿Has llegado a pensar que es imposible? ¿Alguna vez supiste que *debías* pero *no querías*? Considero que la mayoría de la gente en el mundo está luchando con el perdón – ¡en este mismo momento! Si eres humano (de hecho lo eres) y si estás leyendo este libro (lo cual es cierto), alguna vez has sido herido –honda y profundamente- y has enfrentado el enemigo del no perdón.

Cada noche de la semana, dirijo un programa radial de dos horas de llamadas para consejería –*Esperanza en la Noche*- durante el cual mucha gente a lo largo de los Estados Unidos descarga sus corazones a través de este programa en vivo. Con frecuencia me sorprende su candor y lo profundamente afectados que están por la pena.

También me da tristeza ver la cantidad de personas equivocadas y maltratadas por otros –desde su propia familia hasta la familia de la iglesia; desde encuentros casuales hasta vecinos cercanos; desde completos extraños hasta "mejores amigos".

Mi corazón va hacia los que sufren -hacia aquellos que sólo desean que su pena termine y que regrese la esperanza.

Después de más de una década de escuchar cientos de historias desconsoladoras, surge el desafío del perdón con una compasión tremenda. No deseo que aquellos que están sufriendo sean más adelante lastimados al vivir con una *raíz de amargura* –simplemente porque no captan el verdadero significado del perdón o no saber el "cómo hacer" para perdonar.

Y toco este tema con algo más que compasión. Tengo la experiencia necesaria, ya que por años luché con la falta de perdón. Por supuesto que sentía un gran peso. Así que para mí el perdón no es sólo una premisa teórica… o un simple concepto teológico. El perdón es algo que viví en un mundo real, un asunto del alma.

El perdón es una *decisión* –un acto de voluntad que cuando se hace correctamente conduce a la verdadera libertad. Es un proceso –a menudo mal entendido. Me tomó un largo tiempo aprender el *porqué* del perdón y más aún lograr *vivir* con un corazón lleno de perdón. El llamado de Dios en Colosenses 3:13 ha sido el catalizador de mi jornada:

"De modo que se toleren unos a otros y se perdonen si alguno tiene queja contra otro. Así como el Señor los perdonó, perdonen también ustedes."

A través de ilustraciones vívidas y experiencias impactantes quiero mostrarle a otros que han sufrido grandemente y perdonado mucho -algunos que incluso llegaron a pensar que nunca encontrarían paz debido a la profundidad de su dolor. Y quiero destacar a Aquel que ha sido ofendido al máximo y ha perdonado al máximo a *Jesús*. Él conoce su pena. Él sabe su necesidad y sabe cómo darle poder para perdonar –aún cuando crea que es imposible.

A través de estas páginas, mi oración es doble:

1. Que aprenda a deshacerse de los *guijarros* de amargura que carga a su espalda –aquellas pesadas rocas de resentimiento

2. Que experimente la libertad del perdón –una libertad que sólo es posible cuando aprende a perdonar … aún cuando no lo sienta.

CAPÍTULO 1

"Palos y Piedras pueden Romper Mis Huesos…"

Las Palabras Pueden Romper Mi Corazón

DURANTE LOS AÑOS DE MI INFANCIA, recuerdo haber oído algunos dichos muy llamativos que describían realmente las situaciones, tales como: "La gente que vive en casas de cristal no debería tirar piedras" y "A una piedra que rueda no le sale musgo".

Otro adagio popular es "Palos y piedras pueden romper mis huesos, pero las palabras nunca me lastimarán". A lo que yo respondo: Error, error, error. Todos sabemos que las palabras *pueden* romper nuestros corazones. La Biblia lo dice de esta manera: "La lengua tiene el poder de vida y muerte y aquellos que la aman comerán de su fruto".[1]

Las palabras pueden acabar con una relación. Las palabras pueden matar nuestra motivación e inspiración. Esta verdad me la llevé a casa cuando estaba dirigiendo una conferencia en Indiana.

"¿Cuántos de ustedes han *realmente* luchado con el perdón y han tenido que hacer un esfuerzo enorme para perdonar a alguien que les ha herido profundamente?" Inmediatamente vi las manos levantadas de casi la cuarta parte de la audiencia. Rápidamente hice una evaluación de aquellas personas que levantaron la mano, buscando alguien físicamente adecuado.

La pregunta la hice al principio de una charla sobre el perdón, pero fue solo después de 15 minutos cuando señalé a un hombre de aproximadamente 30 años.

-"Señor, necesito ayuda. ¿Estaría dispuesto a acompañarme en la plataforma? Sorprendido, él acepta sonriente y sube al escenario. Ahora ambos quedamos cerca de una mesa que tiene un montón de rocas. "¿Puede decirnos su nombre y compartir algo sobre Ud?"

"Mi nombre es Rick. Soy contador y mi pasatiempo favorito es correr. Cuando no estoy trabajando estoy corriendo porque pienso participar en una maratón este año."

"¡Esto es grandioso, Rick! Gracias por su colaboración."

Acercándome a una pequeña mesa, tomé un gran gancho gris de colgar carne, de casi 60 centímetros de largo y un costal. En la parte superior del gancho en forma de herradura cabría el cuello de una persona. Un arpón recto se extiende como 60 centímetros entonces se arquea hacia atrás, como un enorme anzuelo con una afilada punta.

"Adelante, Rick. Deslice este gancho de carne cuidadosamente alrededor de su cuello." Sus ojos se abrieron con sorpresa –el gancho lucía tan peligroso. Me miró cautelosamente. Algunas personas de la audiencia lanzaron un gemido, con seguridad contentas de no haber sido escogidas. Lentamente y con cautela, Rick deslizó la parte superior del gancho alrededor de su cuello. El arpón pasó por el pecho hasta la cintura y la punta quedó al frente. Yo coloqué la parte superior del costal sobre el extremo del gancho.

"Rick, al principio, cuando pregunté si alguno había luchado con el perdón, yo noté que Ud. había levantado la mano."

"Correcto."

"¿Qué ha sido tan difícil de perdonar? ¿Me podría contar qué le pasó?"

En este momento me acerqué al montón de rocas, con el fin de que cada vez que Rick mencionara una ofensa, yo dejaría caer una roca o un pequeño guijarro dentro del costal. Cada roca representaba algo malo que alguien había cometido contra él –una herida que él cargaba.

Rick comenzó devolviéndose hasta su niñez. No nos tomó mucho tiempo saber que todas sus "rocas" provenían de la misma fuente –el crecer cerca de un padre cruel y a veces tirano, poco cariñoso e inflexible. En la medida que Rick describía a su padre y sus sufrimientos, hablaba suavemente:

"Nunca me aceptaba por lo que yo era "Las palabras críticas y cáusticas de su padre hicieron que yo metiera en el costal la primera roca.

"Cero cariño…" Ni una mano sobre el hombro, nada de abrazos ni palmaditas en la espalda. Una roca del tamaño de un puño cayó dentro del costal.

"Nada de tiempo para jugar….." Nada de jugar a la lucha, nada de jugar a atrapar cosas –todas estas menciones justificaron otra roca muy pesada. Mientras más recordaba Rick, más caía en cuenta de lo que le había faltado.

"Nada de tiempo padre-hijo…." Nada de andar juntos, ninguna conversación acerca de volverse hombre, ninguna conversación acerca de las profesiones para estudiar. Esto obligó a depositar otra roca. Rick continúo oprimiendo el" botón de repetición" enterrado en su memoria.

"Gritos…" Un repentino recuerdo atemorizante provocó en Rick un gesto de dolor. Todos los gritos y ataques verbales obtuvieron una roca de un tamaño considerable.

"Lastimando a mi madre…." El abuso verbal y emocional de su padre llevó a que otra gran piedra cayera dentro del costal.

"Apártate de mi vista….!" Sus palabras denigrantes y de menosprecio lograron otro guijarro pesado.

"Rechazo…." Se suma al impacto emocional de todas las heridas ocasionadas por su padre. Con impulso Rick introdujo otra roca pesada en su costal. Esta chocó contra otras rocas, dejando algunos fragmentos pequeños y cortantes. Estas mismas piezas están incrustadas en la memoria de Rick. Finalmente, *rechazo lo dice todo*.

Ampliando esta imagen visual, le dije a Rick que él tenía un costal de rocas morando en su alma. Durante años él había estado arrastrando rocas de resentimiento, piedras de hostilidad y guijarros de amargura. Entonces señalé el saco que colgaba alrededor de su cuello –el costal que ahora estaba tensionado por el peso de las rocas.

"¿Qué pasaría si tuviera que caminar con el costal de piedras colgando de su gancho por el resto de su vida?".

> Cuando perdonamos, nos deshacemos de las rocas que nos doblegan y disminuyen nuestra fortaleza.

El respondió inmediatamente, sin necesidad de pensarlo: "No podría correr más". Me sorprendió y alegró esta respuesta. En vez de decir:" Me encorvaría" o "Sería difícil caminar", Rick, el devoto atleta expresó preocupación por no poder correr más.

Su respuesta expresa muy bien el costo de despojarse de "rocas" engorrosas. Piense en todas las Escrituras que hacen referencia a correr. El apóstol Pablo dice: "¿No saben que en una carrera todos los corredores compiten, pero sólo uno obtiene el premio? Corran, pues, de tal modo que lo obtengan".[2] Y él preguntó, "Ustedes estaban corriendo bien. ¿Quién los estorbó para que dejaran de obedecer a la verdad?".[3]

Lo que Rick dijo desde un punto de vista físico –"no podría correr más"- es también una verdad emocional y espiritual. Con el peso de demasiadas rocas lo máximo que podemos hacer es medio andar fatigados en nuestro camino por la vida. Si se añaden más rocas al montón, escasamente podremos movernos. Y si aún se arrojan más rocas estaremos completamente aplastados bajo el peso.

Pero cuando aprendemos a perdonar –aún cuando no lo sintamos- nos despojamos de las piedras que nos arrastran y disminuyen nuestras fuerzas. Mientras trabajamos en el proceso de perdonar, quedamos libres de la presión… ¡nos sentimos libres!

El profeta Isaías describe cómo es la libertad: "Volarán como las águilas: *correrán* y no se fatigarán, caminarán y no se cansarán".[4]

Ahora, volviendo a Rick: lo último que quisiera hacer es dejar a este hombre con el peso de su dolor emocional. ¡Yo quiero verlo correr!

"Rick, ¿quieres vivir el resto de tu vida cargando todo este dolor de tu pasado?"

"No, no quiero".

"¿Entonces estás dispuesto a descolgar del gancho todo el dolor del pasado y pasárselo al gancho de Dios?"

"Si, lo estoy:"

"¿Estarías dispuesto a soltar a tu padre de tu gancho emocional, y pasarlo al gancho de Dios?"

"Sí, eso quiero,"

En oración los dos fuimos ante el trono de la gracia de Dios. "Señor Jesús," empecé.

"Señor Jesús", él repetía, "gracias por cuidar mi corazón…y cuanto he sido lastimado…. Tú sabes el dolor que he sentido…. Por el trato que mi padre me ha dado… su enojo… su falta de afecto…. su abuso… su rechazo."

De repente, entre la multitud, lo inesperado ocurrió. Mientras Rick repetía la oración, haciéndola suya, una corriente de oraciones – apenas como un susurro – se escuchaban de un lado al otro del salón. La piel se me puso como de gallina. Con un profundo sentimiento santo de adoración, me di cuenta que en este día, más de un saco de rocas, pronto estaría vacío.

"Señor, yo suelto todo este dolor en Tus manos… Gracias, Señor Jesús… por morir en la cruz por mí… y extender Tu perdón hacia mí…. Como un acto de mi voluntad… yo elijo perdonar a mi padre."

Mientras Rick continuaba orando, se daba un cambio extraordinario. Su voz, al comienzo reservada, se fortalecía con propiedad y determinación.

"Yo elijo soltar a mi padre… de mi gancho emocional… y ahora mismo, yo se lo paso a Dios…. Yo rechazo todos los pensamientos de venganza…. Yo confío que en Tu tiempo, Tú tratarás con mi padre… solo cuando Tú veas que es apropiado. Y Gracias, Señor, por perdonarme… Tu poder para perdonar… es por eso que puedo ser libre… En Tu santo nombre he orado, Amén."

Las lágrimas de gratitud de Rick revelaban que había elegido experimentar la libertad del perdón. Y al mismo tiempo, a través del poder del perdón, muchos sacos de amargura que había en el auditorio, habían sido desocupados.

Personalmente sé lo que es sentirse cargado por las rocas de resentimiento. Si tú también sientes ese peso, yo lo comprendo. Quiero que sepas que las palabras escritas en este libro fueron escritas con un objetivo en mi mente – liberarte de ese gran costal lleno de rocas, y *dejarte con el saco vacío.*

CAPÍTULO 2

La Escuela de las Rocas Dolorosas

Apilando Rocas De Rencor

LA DECISIÓN DE ESCRIBIR SOBRE EL DOLOR DE MI NIÑEZ no fue apresurada o fácil. He escrito sobre muchos otros temas sin divulgar detalles sobre los años de mi infancia Sin embargo, como un asunto de integridad, no puedo escribir un libro sobre el perdón sin explicar este doloroso periodo –sin compartir memorias que por muchos años estuvieron como partículas incrustadas en mi alma, insensibilizando mis emociones.

Las pruebas más abrumadoras de mi vida están relacionadas con mi padre, un hombre más duro que el pedernal y cuya ira podía encenderse a la más mínima molestia.

Sin estos <u>tests</u> (pruebas) no tendría <u>testi</u>monio, especialmente en lo relacionado con el perdón. Y sin un testimonio no habría plataforma para el ministerio que Dios me dio. La mía es una historia de cómo aprendí a perdonar… aún cuando no quería hacerlo.

Me crié en una familia llena de secretos –secretos que no osábamos discutir con nadie, mucho menos con los amigos. Nuestra familia era disfuncional, llena de miedos y apariencias, de poca armonía y desordenada. Los frecuentes y flagrantes actos de inmoralidad de mi padre pasaban desapercibidos. Durante los agitados años de mi infancia mi madre ocupaba el lugar más precioso de mi corazón.

Ella era extremadamente amable, benevolente y amorosa. Yo la adoraba.

Por otro lado, mi padre era enormemente exitoso en su vida profesional, pero un gran fracasado en su vida familiar. Con muy buena presencia, siempre lo veíamos en su "uniforme" de negocios –vestido de azul oscuro, camisa azul clara, corbatín azul- que usaba cada día, los siete días de la semana. Se le reconocía como un líder visionario que ofrecía cientos de trabajos a través de sus muchos negocios audaces.

Aunque fuera de casa era considerado por muchos como un gran hombre, en el hogar era visto como un opresor. Su temperamento era tan impredecible, que cuando estaba cerca, todos caminábamos en puntillas.

Las rocas de resentimiento se acumulaban en "mi saco" con mucha frecuencia.

Cuando mi padre inició una relación romántica con mi madre, tenía el doble de su edad. Para colmo de males, él era un hombre casado, con hijos, de los cuales el segundo tenía la edad de mi madre. Mi abuelo materno había muerto de tuberculosis cuando ella tenía tres años, por lo tanto creo que ella sentía la carencia de un padre en su corazón.

Esta carencia la hizo vulnerable a una figura paterna estable y que ejerciera influencia sobre ella –aún después de convencerse de que esa relación era equivocada.

Vivíamos como su familia secreta –mi madre y cuatro hijos, siendo yo la segunda. Con el tiempo nuestro secreto se convirtió en una gran roca que yo tenía que soportar, lo cual afectó mi sentido de seguridad.

Los primeros doce años de mi vida crecí con un apellido diferente. Me llamaba June Wright. Mi padre decía que éramos la familia "wright" porque él y mamá hacían lo que estaba bien (right). Sin embargo, por años mamá vivió con un terrible cargo de conciencia y una vergüenza espantosas.

Ablandando un corazón endurecido

El *Pedernal* es una forma sedimentaria de cuarzo de apariencia transparente, dura y su color puede variar –café oscuro, gris, azul o negro. Cuando se golpea contra el metal, salta una chispa de pólvora. Cuando roza otro objeto duro, sus "esquirlas" o "aspas" parecen lanzas o cuchillos. Por siglos, el pedernal ha sido usado también para construir muros de piedra.

El no perdonar vuelve duro y oscuro tu corazón tal como el pedernal, y a medida que pasa el tiempo, puede albergar tanta amargura como para construir un muro impenetrable alrededor de tu alma. Pero cuando entregas tu corazón endurecido al Supremo Cortador de Piedra, Él reconstruye tu corazón para que se parezca más al Suyo –sensible a las necesidades de los demás.

Sólo si sacas el endurecido pedernal de las fortificadas murallas de tu corazón y se lo entregas al Señor, Él lo moldeará para que luzca como el Suyo. Ten en cuenta que en lugar de condenación, Él te ofrece compasión. En lugar de juzgarte, Él te ofrece misericordia. Al poner el pedernal en Sus manos -el pedernal de la falta de perdón- Él reconstruirá tu corazón endurecido y lo hará como el Suyo.

Cada domingo nos llevaba a la iglesia y aunque deseara ardientemente entrar, ella se sentía incapaz de hacerlo. Nos acompañaba hasta la puerta pero ella se quedaba afuera. La vergüenza brotaba por cada poro de su ser. Muchas veces vi la agonía en su rostro. Su dulce corazón no concordaba con el autoritarismo, abuso y tácticas atemorizantes de mi padre. Se sentía acorralada y sin modo de escapar.

Durante todos esos años yo sufría por mi madre –no tenía ninguna amiga o confidente. Aunque en esa época no era cristiana, yo recuerdo mi plegaria: "Dios, por favor, consíguele una amiga a mi madre". Ella tenía miedo de tener amistades, porque temía avergonzarlas. Un diciembre, un año después de que la esposa de mi padre murió, él nos llevó a vivir a su casa y al siguiente noviembre, mamá y papá se casaron e inmediatamente me convertí en June Hunt.

Pensarás que este cambio de circunstancias simplificó las cosas, pero no. A veces me sorprendía por no saber responder a preguntas capciosas acerca de la familia, tales como: "¿Es o no tu verdadero padre?" Mi nuevo nombre era difícil de explicar porque mi certificado de nacimiento decía Ruth June Hunt. Nadie me dijo qué decir.

Por lo tanto "mi saco" de rocas sólo se ponía cada vez más pesado.

Mi padre era demasiado posesivo con mi madre. Bella, sumisa y encantadora, ella era la clásica "esposa trofeo". Orgullosamente ostentaba con ella en sus frecuentes cenas ante los invitados. Ella brillaba como una joya en contraste con el oscuro fondo de granito de mi padre.

A nosotros cuatro nos tenían prohibido hablar a las horas de comida –"Los niños son para verlos, no para oírlos"- a no ser que hubiera un tema que fuera de interés para todos. Ya que nada de lo que dijéramos era de interés para papá, rara vez teníamos la oportunidad de hablar. Muchas piedras de agravio fueron depositadas en mi "saco", especialmente durante las comidas. Es más, numerosas veces papá me dijo:"Eres una mala influencia para tu madre". Otras veces decía: "Todos Uds. son una mala influencia para su madre". Así que inmediatamente después de comida teníamos que ir al segundo piso, permanecer en nuestras habitaciones y estudiar. No nos era permitido ver a nuestra madre.

Esta restricción, de no poder ver a mamá en la noche trajo una de las piedras más grandes que debíamos llevar –especialmente a mis hermanas menores, Helen y Swanee.

El corazón de mi madre sufría por el carácter posesivo de mi padre y todas sus prohibiciones. Después de la cena ella se inventaba cualquier excusa para correr al segundo piso y hacer las rondas, alcoba por alcoba....para chequearnos, abrazarnos y darnos ánimo. Su verdadera prioridad era nutrir nuestros tiernos corazones –aunque papá le negara ese derecho.

En contraste, en nuestro padre no existía la compasión necesaria para criar a un niño.

Nuestra familia tenía una perrita poodle plateada llamada Bambi. Yo la quería profundamente. Era mi mejor amiga –la única con la cual yo podía abrir mi corazón. Como alumna de primer año en la escuela secundaria, yo necesitaba escribir un trabajo en inglés. Por primera vez en la vida, decidí inspirarme a orillas de un lago cercano.

Ya con el trabajo terminado y de regreso a casa, vi algo extraño en la carretera. Cuando me acerqué, todo lo que pude exclamar fue: "No…no…no". No tenía idea que Bambi me había seguido. Con horror vi que mi pequeña confidente había sido golpeada por un carro y había muerto.

Mi corazón estaba anonadado. Llorando de dolor, recogí su cuerpo desvanecido y despacio caminé hacia la casa completamente aturdida. Cuando me acercaba a la casa, papá caminaba en dirección opuesta pues acababa de llegar del trabajo. Me vio llorando y con Bambi muerta entre mis brazos.

En lugar de decirme alguna palabra de consuelo, él me increpó: "¿Cómo puedes ser tan estúpida? Bambi está muerta por tu culpa, ¡mira lo que hiciste!"

Su reacción despiadada cayó como lava ardiente en mi corazón herido. ¡Bam!

 Para empeorar las cosas, más palabras hirientes estallaron de nuevo: "El llanto es señal de enfermedad mental -¡deja de llorar!". En ese momento, con el estado traumático en que me encontraba, decidí que no iba a derramar una lágrima más –y no lo hice. Y por años no me permití llorar, aunque sabía que el no hacerlo, era dañino para la salud.

Las repetidas erupciones volcánicas de mi padre pusieron capas y capas de roca derretida y solidificada en mi "saco emocional."

Es difícil admitirlo pero odiaba a mi padre con una furia ardiente.

Cuando tenía 15 años, le hice una pregunta secreta a un amigo de mi padre que era abogado: "Si un muchacho de 15 años comete un asesinato, ¿qué le puede pasar?".

"Bueno, a los 15 él es menor, así que probablemente sería enviado a un correccional de menores hasta que cumpla los 18 y luego lo puede dejar en libertad." Era todo lo que necesitaba saber.

Dos semanas más tarde me le acerqué a mamá con una propuesta: "Mamá, necesito hablarte. He estado pensando en la forma de asesinar a papá. No habrá muchas consecuencias porque soy menor de edad". Y le hablaba completamente en serio.

Estoy tan agradecida por la respuesta que obtuve de mi madre. No me regañó, ni se rió de mí, ni me ridiculizó. En lugar de esto me contestó dulcemente: "No mi corazón, agradezco lo que tratas de hacer, pero esto no será necesario." No es que yo deseara cometer un crimen –sólo deseaba que cesara tanto dolor.

Quizá el deshacernos de papá me ayudaría también a deshacerme de todas mis rocas, piedras y guijarros.

A decir verdad, mamá y yo experimentamos un cambio de roles al yo tratar de ser su protectora. Pero sin importar todo lo que traté de hacer, no tuve el poder suficiente para que estuviera a salvo. A veces mi padre iba a mi alcoba y con tono sentencioso comentaba: "Tu madre hoy está enferma de la mente". Al oírlo supe que debía tomarlo en serio –el hijo mayor de su primer matrimonio había estado internado por años con esquizofrenia paranoide.

Grandes rocas de rencor caían dentro de mi "saco" cada vez que él hacía este tipo de comentarios.

Recuerdo un día en particular que mamá tenía lágrimas en sus ojos porque mi padre estaba coqueteando con una de sus "amigas" llamada Ginger. En ese momento comprendí que sus lágrimas no eran una señal de enfermedad mental. Sin embargo, mi preocupación

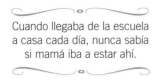

Cuando llegaba de la escuela a casa cada día, nunca sabía si mamá iba a estar ahí.

era ésta: papá tenía dinero; con dinero se compra poder; y con poder se compra a la gente. Yo estaba muerta del miedo de que papá "comprara" a un psiquiatra para que internara a mamá.

Papá aterrorizaba a mi madre, no solamente al asegurar que estaba mentalmente enferma, sino llevándola donde diferentes psiquiatras. Aunque nunca los doctores le diagnosticaron ninguna clase de desorden mental, la sola mención de esta enfermedad le producía terror en su corazón –y en el mío. Por años aquellos guijarros me doblegaron.

Cuando llegaba de la escuela a casa cada día, nunca sabía si mamá iba a estar ahí. Yo temía que el día menos pensado papá la dejara interna. Desde muy temprano comencé a ahorrar para defendernos de papá. Yo sabía que si él alguna vez lo hacía, yo necesitaría acudir a un abogado para sacarla de la institución. Por años nunca me compré una Coca cola o un dulce. En vez de esto, cada centavo que adquiría iba al "Fondo de Defensa".

Yo vivía bajo el continuo temor de lo que le pudiera pasar a mamá. Hasta que un día en medio de uno de los arrebatos de mi padre sobre el estado mental de mamá, perdí todo temor. "¿Se te ha ocurrido alguna vez que *tú* fueras el enfermo mental?", disparé el comentario.

Inmediatamente mi padre se volteó y me pegó. Su proceder me afectó muchísimo. Pero decidí que él no me iba a hacer llorar y no lo hice. ¡Gané!....hasta la mañana siguiente y luego bam -el mayor guijarro de todos cayó dentro de mi ya abultado saco.

Mi padre me envió a un internado por varios meses. Sólo estaba como a 10 minutos de casa, pero yo me sentía como si estuviera en Siberia.

Mi padre soltaba acusaciones contra nosotros con frecuencia. Durante varios veranos me decía repentinamente: "Tú y tus hermanas son una mala influencia para tu madre. Las voy a mandar al campamento".

Ir al campamento es una cosa –pero *ser* mandada al campamento es otra. Ya que este campamento estaba en Colorado, cada vez que se mencionaba a Colorado, evocaba en mí un sentimiento enfermizo. Mientras estuviera en el campamento, nunca sabría si mamá se habría ido para siempre cuando regresara a casa.

Las acusaciones de ser una "mala influencia", las amenazas de internar a mi mamá, el aislamiento en el internado, el exilio en el campamento de verano –las piedras de desdén continuaban apilándose, una sobre otra.

Yo sé lo que es pensar literalmente, *me estoy volviendo loca.* Como adolescente que acaba de conseguir su licencia de conducción, tengo el recuerdo que mientras manejaba el carro a través del puente, pensaba, *sólo tengo que mover el timón y salirme del puente, puedo acabar con mi vida ahora mismo.* Pero después temía que pudiera quedar paralítica, y eso sería peor para mamá.

El maltrato permanente de mi padre me estaba llevando al límite.

Encontrando a Dios en la Oscuridad

Con el paso del tiempo empecé a oír a las personas en diferentes lugares hablar acerca de la diferencia entre tener una *religión* vs. una *relación* con Dios. No tenía la menor idea de lo que querían decir. Aunque asistía a la iglesia, nunca había escuchado acerca de la verdadera salvación, nunca leía la Biblia y nunca aprendí acerca del cristianismo auténtico.

Durante seis meses, observé de cerca algunas de estas personas quienes claramente tenían "algo" que yo no tenía pero que deseaba. Como resultado, comencé a examinar con seriedad las afirmaciones de Cristo. Por muchos meses me enfrenté con preguntas y preguntas y luché con un asunto tras otro hasta que finalmente decidí confiarle mi vida a Jesús y entregarle el control de ella.

Para mi sorpresa, Cristo *dentro de mí* empezó a *cambiarme* –de adentro hacia afuera. Mi visión distorsionada de la vida empezó a ser corregida. Toda mi perspectiva empezó a cambiar en la medida en que yo comprendí quién era Jesús y qué decía.

Mi Cambio de Actitud hacia Papá

Pero había un asunto que me molestaba. Como me encantaban las matemáticas y las ecuaciones, yo tenía en mi mente la siguiente fórmula: Dios odia el pecado. Papá es pecador. Dios odia a papá. Yo odio a papá. Mi fórmula era muy lógica –naturalmente yo debía odiar a papá porque Dios odiaba a papá.

Siendo una nueva cristiana, empecé a devorar la verdad de la Palabra de Dios. Empecé a aprender mucho acerca del amor: Debemos amarnos unos a otros y aún amar a nuestros enemigos. Sin embargo yo creía verdaderamente que mi situación era la excepción, que mis sentimientos negativos hacia papá eran legítimos y que Dios me "comprendía". Yo no sentía perdonar, por lo tanto no lo hacía.

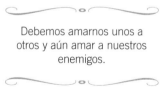

Debemos amarnos unos a otros y aún amar a nuestros enemigos.

Entonces quedé anonadada ante las palabras de esta Escritura. "El que afirma que está en la luz, pero odia a su hermano, todavía está en la oscuridad…..pero el que odia a su hermano está en la oscuridad y en ella vive, y no sabe adónde va porque la oscuridad no lo deja ver."[1]

Obviamente, ese versículo se refiere explícitamente al odio. Yo pensaba, *bueno, eso es verdad….pero Dios conoce mi situación. ¡Él sabe que no puedo evitar odiar a mi padre!* Pero había un solo problema –Dios tiene una medida: No odiar. Dios no deja de lado

Su santa medida de acuerdo con la situación de cada uno. No hay "situaciones éticas" en la Biblia –es verdad o no lo es. Comencé a darme cuenta que Dios no iba a hacer una excepción por mí, solamente porque tenía un padre con corazón de piedra.

A estas alturas mi madre estaba creciendo espectacularmente en su fe cristiana a través de una relación íntima con Jesús, un profundo estudio de la Biblia y amigos cristianos con un fuerte compromiso que habían llegado a su vida y que la amaban incondicionalmente.

Un día, cuando me sentí perturbada con papá, fui a donde mamá y la pregunté: "¿Cómo puedes ser tan amable con él?" Nunca olvidaré su respuesta –dicha con un tono de ternura y compasión. "Oh querida, él no tiene al Señor. Si él tuviera al Señor, él no sería así".

Quedé atónita. ¿Cómo podía mi madre, quien había sido maltratada sin misericordia, ser tan genuinamente amorosa? La respuesta era simple: *ella miró más allá de su falta y vio su necesidad.* Y con seguridad, él necesitaba al Señor en su vida.

La perspectiva cristiana de mi madre me permitió empezar a mirar más allá de la falta y ver la necesidad que mi padre tenía del Salvador.

Deshaciéndome de las Rocas

Aunque nunca encontraré todas las respuestas a mis preguntas en lo referente a qué motivaba los comportamientos abusivos de mi padre, varios años después de su muerte descubrí una conocida verdad: papá había sido criado en un hogar lleno de abuso físico y emocional.

Ya que su propio padre había sido físicamente violento, no había tenido el modelo de cómo ser un padre amoroso y protector. Este descubrimiento me dio un gran entendimiento. Su hogar había sido construido sobre arena movediza en vez de roca sólida –la roca de la verdad bíblica.

Durante mis años de infancia yo cargué emocionalmente un saco muy pesado lleno de piedras de desprecio, rocas de ira y guijarros de amargura. Sin embargo el poder de Dios me llevó a hacer lo que yo pensé que no podría: perdonar a mi padre verdadera y completamente.

La falta de perdón me arrastraba hacia abajo y me mantenía esclavizada mientras que el perdón desocupó mi carga y me dejó libre. *Deshaciéndome de las rocas* –las rocas de resentimiento, me liberé y experimenté la levedad de mi alma y la verdadera paz con Dios.

CAPÍTULO 3

"¡Apedréenla! ¡Apedréenla!"

Lo que Es El Perdón, y lo que No Es

EL POLVO SUBÍA COMO UNA ESPESA NUBE alrededor de la furiosa multitud que pisoteaba las calles. Las emociones hervían, los temperamentos iracundos hacían que las narices de todos se hincharan y resoplaran.

Gritos de: "¡Apedréenla! ¡Apedréenla!" sonaban como un eco en las rocosas calles y paredes de piedra. En frente de la multitud, una asustada y frenética mujer temblaba. Su llanto casi imperceptible suplicando misericordia era ahogado por las voces alrededor que insistentemente demandaban justicia.

Pero no era solamente justicia lo que la multitud quería. El plan era usar a esta mujer para tenderle una trampa al alborotador, a aquel judío conocido como Jesús. Su mensaje radical de perdón y misericordia estaba a punto de ser puesto a prueba.

La multitud finalmente llegó al templo donde Jesús estaba enseñando. Los que habían atrapado a la mujer, la llevaron ante Él. Los acusadores los rodearon a los dos como una manada de lobos feroces.

Estos escribas y fariseos anunciaron públicamente el cargo contra ella: "Adulterio – ¡sorprendida en el acto mismo!" Sólo hay un resultado posible: morir apedreada. La ley así lo estipula.

"Y *tú*, ¿qué dices?" Preguntaron los líderes religiosos, esperando que Jesús refutara la ley y así se condenara a Sí mismo.

El Maestro no dijo nada. Permaneció sentado. Después, se agachó, y escribió en el suelo con Su dedo.

Estos gobernantes, justos en su propia opinión –confiados en que la ley estaba de su lado - Lo presionaron nuevamente. "¡Ella fue sorprendida en adulterio, en el acto mismo! *¿Tú qué dices?*"

Finalmente Jesús habla serenamente:"Aquel de Uds. que esté libre de pecado que tire la primera piedra".

Inclinándose nuevamente, Él continuó escribiendo en el suelo.

Nadie se movió Transcurrió un momento. Aquellos que estaban tan ansiosos por apedrear a la mujer se fueron deslizando uno a uno hasta que ella quedo a solas con Jesús.

Ahora Él se levanta y pregunta sin el menor rastro de juicio, ¿Dónde están los que te acusaban? ¿Ninguno te condena?".
 "Ninguno, Señor" ella responde.
 "Tampoco yo te condeno". Su voz está llena de compasión.
 "Vete y no peques más". ₁

Esta mujer adúltera, que momentos antes sabía que estaba destinada a morir, ahora se encuentra totalmente libre –libre *únicamente* por el perdón.

Frente a una muerte segura por parte de los que querían apedrearla, ella recibió refugio –su vida estaba a salvo por Jesús, el Redentor, la Roca de Refugio. Ella podría haber dicho: "El Señor es mi roca, mi libertador; es mi Dios, el peñasco en que me refugio. Es mi escudo, el poder que me salva, ¡mi más alto escondite!

Esta historia que narra un cambio de vida y que trasciende sobre el tiempo, describe cómo Jesús perdonó a la mujer adúltera, lo cual ilustra el corazón de Dios hacia las personas y Su deseo por cancelar nuestra deuda de pecado.

¿Deseo? Si. Jesús no la perdonó con reticencia o de mala gana –Él no la *sometió* al castigo, Él *deseó* concederle a esta conocida pecadora –sorprendida en el acto- gracia y misericordia total. Quíso que ella a su vez acogiera en su corazón Sus palabras: "Vete y no peques más". Por lo cual ella no continuaría viviendo una vida de "mujer escarlata".

Este pasaje de las Escrituras llena nuestro corazón con la compasión y la esperanza del perdón. Nuestro propio corazón se conmueve al ver que esta mujer condenada no tuvo que morir por sus pecados. Nos impacta su historia de perdón porque revela que nosotros también podemos ser perdonados.

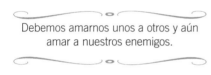

Debemos amarnos unos a otros y aún amar a nuestros enemigos.

En verdad, nadie quiere ser como los que arrojaban las piedras en esta historia. Sin embargo, somos como ellos, cuando no queremos perder el control –cuando no soltamos las piedras para que caigan al piso. Como resultado de no soltar nuestras piedras, *continuamos cargando un peso abrumador.*

Queremos que otros suelten sus piedras, pero rehusamos soltar las nuestras. Esta reticencia a menudo se debe a una inadecuada concepción acerca de lo que es el perdón y de lo que no es.

Lo que no es el perdón

Al aclarar la confusión acerca de lo que es el perdón, ponemos la base de nuestra propia libertad –el muro que rodea nuestro corazón puede ser roto, liberándonos de nuestras rocas de resentimiento y permitirnos amar y ser amados.

Exploremos siete conceptos equivocados acerca del perdón. [3]

1.- El perdón no es una respuesta natural – es sobrenatural

Infinidad de veces, las personas me han dicho: "No *puedo* perdonar. Es que no puedo". Y yo respondo: "Está en lo cierto –*Ud*. no puede. Pero Cristo en Ud. sí *puede*."

Mucha gente trata de hacerlo por su cuenta al momento de perdonar. Tratan de reunir sus propias fuerzas y determinación... pero continúan a punto de estallar de resentimiento y cólera. ¿Por qué? Porque no han permitido que Cristo les dé Su *poder* para perdonar. No saben que cuando entregaron su vida totalmente a Cristo ellos pueden proclamar: "Todo lo puedo *en Cristo* que me *fortalece*". [4]

Por esa razón se sienten inadecuados. El error más común en el que caen es en reconocer que para poder perdonar como Dios perdona, necesitamos tanto Su presencia como Su poder. Si hay alguna cosa que no es natural para nosotros, es perdonar. Necesitamos rendirnos ante la voluntad de Dios y acudir a Su fortaleza. *Sólo entonces podemos soltar nuestras piedras y no recogerlas nunca más.*

2.- Perdón no es lo mismo que reconciliación

Algunas personas, sincera pero equivocadamente asumen que si perdonan al ofensor, deben re-establecer la relación. Desafortunadamente, esta idea equivocada ha dejado incontables víctimas al perdonar a sus victimarios.

Cuando Dios nos pide que perdonemos, Él no quiere decir que debe haber una reconciliación instantánea. Perdonar no significa hacer volver hacia atrás el reloj y empezar de nuevo como si nada hubiera pasado. "Enterremos el hacha de guerra y regresemos al punto de partida".

Por supuesto que el perdón *puede* llevar a la reconciliación, y con cierta frecuencia esto ocurre. Pero algunas veces la reconciliación

no es una garantía o ni siquiera una posibilidad, especialmente en casos que involucran abuso severo, inmoralidad sexual o si el ofensor se resiste a cambiar.

El perdón es una vía, y la reconciliación es en doble vía. La reconciliación es un proceso que se da solamente cuando ambas partes desean trabajar en ello. El perdón, por el contrario es una decisión personal de parte de la víctima independientemente de las decisiones del ofensor.

La reconciliación requiere de un cambio en el comportamiento del ofensor. El perdón no requiere nada de parte del ofensor. Podemos elegir perdonar aún si el perdón no es buscado o merecido.

El perdón depende únicamente de nuestra voluntad por hacer lo que el Señor hizo por nosotros –unilateral e incondicionalmente cancelamos la deuda. No enterramos el hacha de guerra, sino soltamos las piedras.

3.- El perdón no es un sentimiento

Cuando Roger llamó una noche a nuestro programa de radio, él dijo que su vida estaba "pendiendo de un hilo". Su voz tenía un tono de amargura y desespero. Hacía un gran esfuerzo por no llorar mientras contaba su historia.

Roger había sido un exitoso hombre de negocios, la mayor parte de su vida. Comenzó en el Departamento de Ventas de una gran corporación. Al cabo de unos pocos años fue promovido a gerente, supervisando docenas de vendedores en los tres continentes

Después de un meteórico ascenso en la compañía, Roger decidió arriesgar su prestigiosa posición, excelente salario y confortables beneficios, para empezar su propio negocio. Creó una sociedad con Blake, uno de sus más confiables amigos, al cual conocía desde la universidad. De hecho, Blake fue quien le presentó a Susan, la mujer con la cual Roger se casó. Blake fue el padrino de boda.

El nuevo negocio tuvo un éxito increíble, excediendo las expectativas que cualquiera podía tener. Se triplicó en tamaño y ganancias en dos años y con proyectos de expansión.

Roger se sentía seguro por primera vez en su vida. Sabía que podía pagar tranquilamente la universidad de sus hijos. Él y Susan empezaron a construir una cabaña en las majestuosas montañas de Colorado, un confortable sitio que sería su casa cuando se jubilara.

Luego su mundo colapsó. Roger recibió una llamada telefónica, una noche, de su contador. "Odio tener que decirte esto, pero la compañía está a punto de quebrar." Faltaba dinero…*una gran cantidad de dinero*.

Blake había malversado fondos del negocio sistemáticamente, en las narices de Roger. Su compañero y "amigo" había dejado la compañía desfalcada. Todo el arduo trabajo de Roger para lograr su meta, se había esfumado. Después de meses de enormes esfuerzos para mantener la solvencia del negocio, se vio forzado a declararse en bancarrota.

En esa devastadora semana, fue cuando Roger llamó desesperado.

"En este momento, todo lo que puedo sentir es rabia y odio hacia Blake. Ciertamente, me siento como un volcán a punto de erupción. Todo este asunto me tiene amarrado con nudos. No hay manera en que yo alguna vez pueda sentir querer perdonarlo".

Después de comprender cuán herido y traicionado se estaba sintiendo, le expliqué a Roger que *el perdón no es un sentimiento*. Es una *decisión, un acto de la voluntad*. Los sentimientos no necesariamente van dirigidos a perdonar la deuda que alguien tiene contra nosotros. Debemos simplemente saber que Dios nos pide que lleguemos a Él con nuestro clamor contra el ofensor –"¡Él tiene que pagar!"-y decidir entregarle nuestro clamor a Cristo.

Necesitamos soltar el control sobre nuestras piedras y dárselas a Cristo.

¿Es esto tan sencillo como suena? ¡De ninguna manera! Algunas veces es difícil, otras es agonizante. Aún así, necesitamos perdonar –no porque sea fácil o se sienta bien, sino porque es parte de la naturaleza de Cristo el perdonar.

Debes comprender que si tienes a "Cristo en ti"$_5$, ¡entonces tienes Su naturaleza y poder sobrenaturales a tu disposición que te permiten hacer lo que sientes que no puedes hacer! Esto fue lo que el apóstol Pedro dijo: "Por Su divino poder nos han sido dadas todas las cosas que pertenecen a la vida y a la piedad."

Soltar lo que está agarrando

El *topacio* es el mineral silicado más duro y uno de los más duros en la naturaleza. Valorado por su alto brillo, variedad de color y multifacéticos cristales, su espectro de color incluye amarillo, rosado, anaranjado, rojo, marrón, azul y verde. Uno de los más impactantes y escasos es el naranja-rojizo "Topacio Imperial". En el siglo XIX en Rusia solamente a la familia del zar se le permitía tener esta magnífica piedra.

Imagine que sus dedos aprieten fuertemente una piedra, simbolizando la roca de una ofensa que lo ha dejado emocionalmente inmóvil. Ud. la aprieta tan fuertemente que no puede ni siquiera sacar un dedo. Así es cuando Ud. no quiere perdonar.

Pero la verdad es que Ud. puede *elegir* perdonar como un acto de su voluntad. Puede elegir soltar lo que está agarrando y ver a Dios moldeando sus sentimientos en un espíritu de perdón. Puede *elegir* entregar esa piedra al Minero. De esta piedra, Él creará algo noble, algo admirable, algo mucho más valioso de lo que Ud. podría haberse imaginado –más valioso aún que el Topacio Imperial.

Y esto solamente es posible porque somos "participantes de la naturaleza divina" en Cristo.6   Ya que para Cristo el perdón es algo natural, como participantes de Su naturaleza divina, nosotros también podemos perdonar.

Nosotros también podemos ser de los que dejan caer las piedras, en vez de ser aquellos que las tiran.

4.- El perdón no excusa lo malo o permite que la culpa "desaparezca con él"

"Todo mal comportamiento ¡es malo! El mal comportamiento no tiene excusa. Muchas personas piensan equivocadamente que si perdonan, estarían aceptando que la ofensa que cometieron contra ellos nunca fue mala.

¡No! El perdón nunca quiere decir: "Lo que hizo está bien –no es gran cosa."

Cuando alguien te lastima, no solamente la ofensa es real, sino que también el dolor que nos causa es real.

5.- El perdón es no permitir soltar la culpa del gancho

He oído estas palabras una y otra vez: "¡Si yo perdono, lo que estoy haciendo es soltándolo del gancho!". No, esto no es lo que es el perdón. *Es pasar la culpa de tu gancho al gancho de Dios.*

No tenemos la habilidad para soltar al ofensor del gancho de las consecuencias potenciales que él o ella deben enfrentar, tales como relaciones arruinadas, la culpabilidad paralizante, aislamiento social, restitución financiera o aún castigo criminal.

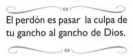

El perdón es pasar la culpa de tu gancho al gancho de Dios.

Pero lo que sí podemos hacer es quitar a la persona de *nuestro* gancho emocional y ponerla en el gancho de Dios y confiar en que Él tratará con esa persona justa y rectamente.

36

Lo que hacemos es tomar a la persona y el costal que contiene todas las rocas de sus ofensas contra nosotros y se las entregamos *todas* a Dios. Cuando ponemos todo el peso sobre Él, se quita nuestra carga y somos emocionalmente libres. Con nuestras manos sin piedras, estamos abiertos a recibir las cosas buenas que Dios desea darnos.

6.- El perdón no es ser el "tapete para limpiarse los pies" o un mártir débil

Sin lugar a dudas, la pasividad no fue el camino que Jesús tomó. La débil aceptación no hacía parte de las pisadas de Jesús.

El perdón no es ser el tapete para limpiarse los pies. Si esto fuera así, ¡Jesús sería el más grande de todos los tapetes! El perdón no es ser un mártir débil. Es ser lo suficientemente fuerte para ser como Cristo –una evidencia de su carácter piadoso.

Perdonar no es ser flojo y de voluntad débil. Jesús fue conocido por Su extraordinario perdón y ni un solo crítico de Cristo –ha considerado que tuvo una personalidad débil.

La debilidad ataca con venganza, le falta sabiduría piadosa, le falta control sobrenatural. Cualquiera puede atacar; cualquiera puede tirar piedras, pero nosotros estamos llamados a depender de la presencia y del poder de Cristo viviendo en nosotros, para poner la otra mejilla. Por medio del perdón, nos alineamos con el más poderoso ser en el universo, Dios Todopoderoso –porque es Él mismo quien nos brinda perdón total.

7.- El perdón no tiene nada que ver con" justicia"

La mayoría de la gente aprende en preescolar o kindergarten el concepto de jugar justamente. Y la mayoría de las veces –con notables excepciones- nuestras vidas individuales e interacciones sociales están gobernadas por el código de justicia. Nuestros eventos deportivos son evaluados con referencia a quién jugó justamente. Escribimos leyes y reglas con el propósito de "nivelar el campo de juego" para que todos en nuestra sociedad tengan la misma oportunidad para lograr el éxito.

Sin embargo, cuando se trata de perdonar, la palabra *justicia* puede ser un enorme obstáculo. El pensamiento puede ser este: ya que el daño que recibí fue injusto, es apenas razonable esperar que mi ofensor pague por ello. Esa persona está en deuda conmigo. Sería *injusto* que mi ofensor no sufriera como yo sufrí.

Este, por supuesto, es el camino del mundo y parece completamente razonable. Nos gustan las pesas para medir. Nos gustan los números para sumar con exactitud. Nos gusta la igualdad en todas las cosas. Nos gusta la justicia "ojo por ojo".

Pero este no es el camino de Dios. El asunto no es de justicia. Después de todo no fue "justo" que el Padre Celestial diera a su Hijo en la cruz… pero Él lo hizo. No era "justo" que el Hijo diera Su vida… pero Él lo hizo. El perdón no tiene nada que ver con justicia –o si no, ¡no sería perdón de verdad! El perdón es la cancelación incondicional de la deuda.

Perdonar es soltar las piedras cuando el mundo dice que las *lancemos.*

¿Qué es el perdón?

Imagínate que quieres ir a la universidad. El único problema es que no tienes dinero o medios suficientes para conseguirlo y alcanzar tu meta- la graduación. Un hombre de negocios en tu cuidad se entera de tu situación y ofrece prestarte el dinero, dejándote bien claro que le devolverás el dinero una vez hayas terminado tus estudios.

El contrato que firmas, establece que si te retiras de la Universidad por alguna razón, deberás pagar la deuda inmediatamente. Si no puedes pagar en la fecha acordada, el asunto de llevará a un juez. Aceptas agradecido y firmas el contrato legal.

Te mudas a una ciudad diferente y comienzas tu vida como estudiante. Al principio, todo marcha de acuerdo con tu plan. Tu mundo florece con ideas, amistades y grandiosas posibilidades. Poco a poco, todas esas posibilidades se convierten en distracciones. Te levantas tarde y entonces no asistes a clase. Pronto, dejas de asistir a las clases días completos y gastas más tiempo socializando que estudiando.

Esto sigue así por semanas. Hacia el final del primer semestre, el dinero que te habían prestado se ha terminado. ¿Cómo vas a continuar? ¿Cómo vas a comer y pagar el arriendo? Tu cuenta está vacía. Entonces te enfrentas a la más desalentadora pregunta de todas: ¿Cómo vas a pagar la deuda que tienes?

Por un tiempo, ignoras el problema. Duermes en el sofá de un amigo. Aceptas un trabajo lavando platos en una cafetería en donde te pagan con la comida y un poquito más. Mientras tanto, tu prestamista empieza a sospechar que algo anda mal. Él llama, después escribe pidiendo una cita. Pero tú huyes de las llamadas y no respondes a las cartas. Tú razonas: *si dejo pasar un poco de tiempo, las cosas van a mejorar.*

Las semanas se convierten en meses. De repente recibes otra carta- ésta de un abogado. El lenguaje formal y amenazador de la carta informa que el prestamista ha decidido ejercer su derecho para llevarte a la corte para recuperar su dinero. Tratas por todos los medios posibles de conseguir el dinero. Nada resulta. En medio de la desesperación, finalmente escribes una carta en la cual pides más tiempo. El abogado responde que el contrato es obligatorio. La deuda debe ser pagada.

El día de tu comparecencia ante la corte, has perdido toda esperanza. Sabes que hiciste mal al desperdiciar el dinero y no tienes forma de hacer las cosas bien. Estás preparado para aceptar lo que el juez diga. Te sientas en el salón de la corte y notas inmediatamente que ni tu prestamista ni su abogado están presentes.

El juez ingresa y te solicita que te acerques al estrado. Tu estómago se revuelca, tus piernas tambalean, pero obedeces. Este es –el tiempo de sufrir las consecuencias. El juez comienza a sonreír y dice: "Tu deuda ha sido perdonada. El caso se da por terminado." Entonces él menciona que llegó una breve carta enviada por el prestamista incluyendo el original del contrato.

Su deuda ha sido saldada. Está libre de toda obligación.
Haga con este contrato lo que desee.

Completamente sorprendido, se marcha. Lentamente va comprendiendo que ha quedado libre. No tiene nada pendiente sobre su cabeza, no tiene que soportar ningún peso molesto. Puede comenzar de nuevo. Una gran alegría lo sobrecoge mientras va saliendo de la sala de la corte hacia la brillante luz de la calle. De repente se detiene y decide hacer lo que sea necesario para recuperar su vida, redoblar sus esfuerzos y volver a tener la credibilidad perdida.

El perdón es la cancelación de la deuda

La palabra griega *aphesis* en el Nuevo Testamento significa "perdón, cancelación de una obligación, castigo o culpa". Perdón es cuando una persona cancela la deuda de otra. En la vida, una ofensa no perdonada es una deuda no paga –una deuda psicológica, emocional y aún espiritual entre dos personas. Por lo tanto, la falta de perdón es una *atadura entre dos personas. Ninguno está libre de ella.*

Cuando perdonamos, no solamente cancelamos la deuda que teníamos, si no que también confiamos en que Dios se hará cargo del ofensor en Su tiempo y a Su manera cuando Él lo considere. Él nos asegura: "Mía es la venganza; Yo pagaré".[7]

Dios perdona nuestra deuda de pecado y rebelión contra Él. El apóstol Pablo dice: "Dichosos aquellos a quienes se les perdonan las transgresiones y se les cubren los pecados. Dichoso aquel cuyo pecado el Señor no tomará en cuenta".[8] No hay duda de que éramos culpables y de que de ninguna manera podríamos pagar la pena por nosotros mismos.

Dios tenía todo el derecho de llevarnos a la letra de la ley y demandar que pagáramos con nuestra vida. En lugar de esto, Jesús canceló la deuda pagándola él mismo, derramando Su propia sangre en lugar de

> Aprender a perdonar a alguien es nada más y nada menos que aprender a pensar y a actuar como Dios.

nosotros. Al hacer esto, nos libró totalmente de las consecuencias por no alcanzar Sus estándares.

Jesús tomó nuestro lugar. Su cuerpo fue golpeado por las piedras de nuestras ofensas, las piedras que debían haber sido lanzadas a nosotros. Todas las piedras que los demás recolectaron para arrojárnoslas y que nosotros recolectamos para arrojarlas a ellos, fueron lanzadas a Jesús. Esta es la razón por la cual Él legítimamente nos pide que no arrojemos piedras contra otros si no que se las entreguemos a Él.

David, que conocía la desesperada necesidad de ser perdonado, escribió:

> No nos trata conforme a nuestros pecados ni nos
> Paga según nuestras maldades. Tan grande es su
> Amor por los que le temen como alto es el cielo
> Sobre la tierra. Tan lejos de nosotros echó nuestras
> Transgresiones como lejos del Oriente está el
> Occidente.

Es imposible imaginar cualquier perdón más completo que éste.

Aprender a perdonar a alguien que nos ha hecho mal es nada más y nada menos que aprender *a pensar y actuar como Dios*.

La falta de perdón endurece nuestros corazones y nos doblega. Cuando repetidamente rehusamos perdonar, acumulamos más y más ofensas, las cuales se convierten en capas de cemento endurecido. Cuando perdonamos una ofensa a la vez, el cemento se cuartea y se cae y más y más nuestro corazón empieza a parecerse al corazón de Dios.

Jesús dijo: "Vengan a Mí todos los que están trabajados y *cargados* y Yo les daré descanso."[10] La falta de perdón se convierte en una carga muy pesada para nosotros; es como arrastrar un saco gigante de cemento. Ninguna de las partes puede liberarse de la carga mientras la deuda permanezca en los libros.

El Perdón Libera tu Resentimiento y Tus Derechos

Imagínate que eres un atleta en los juegos olímpicos. Tienes los zapatos, la pantaloneta y la camiseta adecuados. Sin embargo algo no anda bien. ¡Atada a tu rodilla hay una pesada pelota negra y una cadena! No puedes correr el trayecto, ni siquiera puedes clasificar. Si solamente pudieras liberarte…pero no tienes la llave para abrir el candado.

Entonces el día de la carrera de clasificación te dicen que ya tienes la llave para liberarte. Rápidamente te liberas y ¡Oh, qué libertad! Es como si esa pelota negra milagrosamente se hubiera convertido en un globo de helio. La carga se libera, el globo se suelta, el peso se va.

Nadie te ha dicho antes que tu falta de perdón es la pelota negra que te arrastra hacia abajo. Ahora que sabes que el perdón es una de las principales llaves hacia la libertad, puedes correr la carrera…y cruzar la línea final con libertad. "Despojémonos del lastre que nos estorba, en especial del pecado que nos asedia y corramos con perseverancia la carrera que tenemos por delante."[11]

Perdonar significa *soltar tu resentimiento* hacia tu ofensor. En el Nuevo Testamento, el verbo griego *aphiemi* significa primeramente "alejar" –en otras palabras: "perdonar, alejar o soltar el agravio que alguien cometió contra ti"[12] Esto implica que tú necesitas despojarte de tu derecho de oír "Lo siento", despojarte de tu derecho de estar amargado, despojarte de tu derecho de estar bien. La Biblia dice: "No paguen a nadie mal por mal. Procuren hacer lo bueno delante de todos."[13]

Perdonar es despojarte de tus derechos relacionados con la ofensa. Esto significa abandonar tu derecho de pensar en la ofensa del pasado, abandonar tu derecho de aferrarte a la ofensa, abandonar tu derecho a recordar repetidamente la ofensa. El Libro de los Proverbios lo dice muy claramente: "El que perdona la ofensa cultiva el amor, el que insiste en la ofensa divide a los amigos"[14]

Una Historia Verdadera del Poder del Perdón

"Tomás" y su esposa "Catherine", lucían como muebles lúgubres en la oficina de su pastor. Hacía sólo unos pocos meses que Catherine había aceptado que había tenido una aventura amorosa. El dolor le llegó a Tomás hasta lo más profundo de su ser. Aunque Catherine sentía una gran angustia por su pecado, continuaba luchando con sus sentimientos románticos por su amante y continuaba confundida por sus emociones conflictivas. Tomás tenía que tomar una decisión. Él sabía que tenía fundamentos bíblicos para divorciarse, pero el bienestar de sus dos hijas de 6 y 8 años de edad era una carga muy pesada para su corazón.

Aunque Catherine reconoció que la aventura había terminado, Tomás canceló su servicio de teléfono celular y su acceso a Internet en la casa. Pero él sabía que estas medidas eran solamente superficiales. Para que su matrimonio sobreviviera, se requería de un duro trabajo por parte de ambos –un trabajo brutal. Catherine necesitaba demostrar verdadero arrepentimiento, no teniendo ningún contacto con el otro hombre y Tomás necesitaba de alguna manera perdonarla. Pero ¿era esto posible? Sus sentimientos de rabia, dolor y traición eran abrumadores. ¿Y qué decir de volver a confiar en ella? Él quería y sabía que lo necesitaba. Pero ¿cómo podría hacerlo mientras cargaba semejantes heridas tan profundas en su corazón?

El pastor de la pareja les sugirió a Tomás y Catherine asistir a nuestro Instituto Bíblico de Consejería, cuyo tema de ese mes era justamente el perdón. Tomás aceptó asistir, pero Catherine se negó, diciendo que las niñas la necesitaban –ellas se habían vuelto inseguras y vulnerables en vista de la crisis emocional de la pareja. Tomás decidió ir solo.

Guijarros gigantes de rabia y traición golpeaban el corazón de Tomás –chocaban con su deseo de paz y libertad. Pero mientras él escuchaba esa noche, Tomás aprendió que perdonar no significaba soltar a Catherine del gancho. En lugar de esto significaba quitarla de *su* gancho emocional y pasarla al *gancho de Dios*.

Al cierre de la conferencia, señalé un montón de globos blancos de helio en la esquina del salón y le di a cada participante una tarjeta. "Si verdaderamente quieres perdonar, escribe el nombre de tu ofensor en ella. Y amárrala a la cuerda de un globo", le dije al grupo. "Entonces ve afuera e intencionalmente suelta el globo como un símbolo de soltar a tu ofensor –y las ofensas- a Dios."

Sosteniendo aún sus globos mientras se aproximaban a la puerta, Tomás y su pastor hablaron acerca de cómo habían sido impactados por lo que acababan de escuchar. Ya afuera, Tomás hizo una abrupta pausa para mirar el frío cielo de la noche. Una sonrisa llena de paz se dibujó en sus labios y lentamente, él levantó el globo hacia el cielo. Después de unos instantes, lo soltó. "Allá va", él susurró y su pastor fue el testigo silencioso. Sus ojos miraron fijamente hacia arriba mientras el globo de Tomás se elevaba suavemente hasta perderlo de vista y con él una pequeña tarjeta blanca que decía simplemente, "Catherine".

Al año siguiente Dios hizo cosas maravillosas en sus vidas "Catherine sintió el perdón genuino y la fidelidad de Tomás y verdaderamente se arrepintió", dijo el pastor. "Su relación con el Señor realmente ha crecido y por lo tanto, Tomás confía en que Catherine ha sido casi completamente restaurada… y las niñas han recuperado su sentido de seguridad".

Tomás y Catherine se "graduaron" de la escuela de las duras rocas –no significa que no recojan de vez en cuando una dos piedrecitas a lo largo del camino. Pero cuando lo hacen, ellos saben qué hacer con cada una… de manera que sus sacos permanezcan livianos y sus espíritus libres.

CAPÍTULO 4

"¿Cuál Padre le Da Una Piedra a su Hijo?"

***Amor Extraordinario, Perdón
Extraordinario***

NO HACE MUCHO TIEMPO, investigaciones de la Universidad de Baylor arrojaron los resultados de un estudio en el cual examinaron las diferentes opiniones que la gente tiene acerca de Dios. El estudio incluía una encuesta dirigida por la Organización Gallup que identificaba cuatro diferentes percepciones de la naturaleza de Dios y su carácter. Lo que encontraron fue lo siguiente:

-Aquellos que creen en un "Dios Autoritario" que está "enojado por los pecados de la humanidad". 31.4%
-Aquellos que creen en un "Dios Distante" que es más una "Fuerza Cósmica que hizo el mundo y después lo dejó funcionando por su cuenta". 24.4%
-Aquellos que creen en un "Dios Crítico" que "tiene su ojo enjuiciador sobre el mundo". 16%
-Aquellos que creen en un "Dios Benevolente" que "es perdonador y acepta a cualquiera que se arrepiente". 23% [1]

Increíble, ¿verdad? Si extrapolamos estos resultados de la encuesta a la gran población, podemos concluir que cerca de las tres cuartas partes de la gente en nuestra sociedad tiene una perspectiva negativa de Dios, utilizando palabras como: enojado, distante y enjuiciador para describirlo. Menos de una cuarta parte ve a Dios como amoroso, benevolente y perdonador.

El Dios del cual leemos en la Biblia es un Dios Creador cuyo carácter es en esencia generoso, lleno de gracia y de bondad. Él es un Padre amoroso que *desea* que vayamos a Él… que *desea* que le pidamos… que *desea* que dependamos de Él. Él se *deleita* en perdonar nuestros pecados y conocer nuestras necesidades.

En el Evangelio de Mateo, Jesús compara la bondad de un padre terrenal con la bondad de nuestro Padre celestial. "¿Quién de ustedes, si su hijo le pide pan, *le dará una piedra?*…Si ustedes que son malos, saben darle buenas dádivas a sus hijos, ¡cuánto más su Padre que está en el cielo les dará buenas cosas a aquellos que se las pidan!"[2]

Y de todas las cosas buenas que necesitamos – ¿qué más que el perdón? Y ¿de quién necesitamos perdón más que de Dios?

Seamos honestos: el perdón de Dios alcanza todo, rodea todo, es incomprensible… inexplicable… inconcebible.

Desde nuestro punto de vista humano, el perdón de Dios no tiene sentido. No se puede comprar, vender, negociar, medir o racionar. No hay una fórmula científica que determine cuándo o para quién es aplicable. Como el aire en la atmósfera está libremente disponible para cualquiera que quiera respirarlo.

Para decirlo de otra manera, el perdón de Dios es *extraordinario*.

¿Cómo es el Perdón de Dios?

Para nuestra mente racional y lógica, el perdón extraordinario es chocante y para algunos, aún ofensivo. Va en contra de nuestros instintos. La mayoría de las diferentes sociedades de nuestro mundo toman como base de su sistema de justicia la equidad, los resultados, el pago con la misma moneda, la ley y el orden. Competencia, no perdón, es lo que prevalece en nuestra cultura. Aprendemos desde una edad temprana a mantener la mano levantada cada vez que podemos y nunca perder el control. Como dice el cliché: "los chicos buenos terminan de últimos". Y muchas personas viven como dice el dicho: "No te enojes, iguálate". En contraste, las escrituras revelan un estilo de vida muy diferente:

-*"No nos trata conforme a nuestros pecados ni nos paga conforme a nuestras maldades. Tan grande es su amor por los que le temen como alto es el cielo sobre la tierra. Tan lejos de nosotros echó nuestras transgresiones, como lejos está Oriente de Occidente".*[3]

-*"¿Qué Dios hay como tu que perdone la maldad? y pase por alto el delito....Tu.....arroja al fondo del mar todos nuestros pecados".*[4]

-*"Ya no hay ninguna condenación para los que están unidos a Cristo Jesús, pues por medio de Él la ley del Espíritu de vida me ha liberado de la ley del pecado y de la muerte".*[5]

No me sorprende lo difícil que es para algunas personas aceptar el concepto del perdón – éste va contra el pensamiento y comportamiento de la naturaleza humana. Y aún aquellos que creen en el perdón, con frecuencia utilizan toda clase de clasificaciones y condiciones para su propio caso.

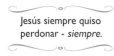

Jesús siempre quiso perdonar - *siempre*.

Dios, en Su misericordia, envió a Jesús para ser sacrificado por nuestros pecados, para que nosotros pudiéramos ser recipientes de Su extraordinario perdón. Afortunadamente, el tiempo en que Jesús vivió en la tierra también sirvió para otro propósito: proveernos un ejemplo viviente de lo que es el perdón. Todo lo que Él hizo y dijo fue un intento por explicarlo y ejemplificarlo.

A lo largo de Su vida, Jesús ofreció esperanza a los que no la tenían. Él levantó al deprimido, se hizo amigo del que no tenía amigos, amó al no amado, aceptó al rechazado, sanó al enfermo, salvó al pecador, y aún perdonó a aquellos que Lo crucificaron.

Jesús siempre desea perdonar – *siempre*. Nosotros rara vez queremos perdonar. Somos reacios a perdonar. Luchamos con esto. Agarramos fuertemente entre los dedos aún la más pequeña piedrecita de ofensa – pero Jesús no. Él nunca cargó una roca. Ni una sola vez Él cargó una piedra, mucho menos arrastrar un saco con resentimiento y amargura- un saco que podría llevar innumerables nombre escritos, incluidos el tuyo y el mío.

En cada paso sobre el camino, Jesús paró a los líderes religiosos que tenían como propósito mantener a la gente en esclavitud a través de la culpa y la vergüenza. Una y otra vez, con palabras y acciones, Jesús dijo, en esencia, "Yo te ofrezco total y completo perdón, nada puede existir entre tú y el amor de Dios. No hay excepciones. No hay multas. No hay cláusulas condicionales en el contrato." No hay nada que puedas hacer para cambiar Su extraordinario amor.

Al leer los Evangelios podrás ver que Jesús no pasó ni un día sin provocar a los fariseos por la resistencia que ponían para aceptar Su mensaje de amor y perdón extraordinarios.

Una vez, por ejemplo, Él estaba enseñando a la multitud cuando aparecieron los fariseos para escudriñar Sus palabras y Sus caminos. "Recaudadores de impuestos y pecadores se acercaban a Jesús para oírlo. Y los fariseos y los escribas murmuraban diciendo: "Este hombre recibe a los pecadores y come con ellos".[6]

"¡Eso no está bien!". Prácticamente decían con alaridos. "¿Será que oímos mal?"

No, de hecho lo dijo.

¿Cómo respondió Jesús a estos alegatos que pretendían hacerle caer? Él les contó una historia para hacerles ver Sus intenciones –una historia que pudo haber sido como ésta….

Un Cuento de Amor y Perdón

Un hombre joven lleno de resentimiento, desocupaba otro balde de comida sobre la cerca para el ganado de su padre. Le enfermaba

hacer el trabajo sucio –como un esclavo en su propia casa. Él quería algo mejor. Sabía que podía tener una mejor vida si solamente… Espera, ¡tal vez es posible! Decidió intentarlo. Dejó caer el balde vacío y se fue desafiante ante su padre.

"Ya no puedo más. Quiero vivir mi propia vida, no la tuya. Tienes a mi hermano para que ayude aquí. Dame la herencia que me corresponde y viviré mi propia vida en el mundo".

El padre consideró la petición de su hijo con tristeza. Él sabía que el horizonte siempre se ve más atractivo que la tierra que está debajo de los pies y sabía que su hijo no estaba preparado para enfrentar las tentaciones afuera en el mundo. Había todavía mucho que el muchacho necesitaba saber y mucho que el padre deseaba enseñarle.

Para el joven rebelde la aventura puede estar en cualquier parte. Y el padre comprende que una vez el muchacho decida irse de la casa en busca de emociones, solamente la experiencia –no las palabras, podrán enseñarle algo. Entonces valorando más a su hijo que a sus posesiones, el padre concede la petición del hijo.

"Eres libre para irte", le dice. El hijo se va con toda la herencia que recibiría a la muerte de su padre.

El joven está emocionado con su tan anhelada libertad. Reúne todo lo que es suyo y se va a un país lejano. El camino es tan emocionante como él se imaginó que iba a serlo. Prueba comidas que nunca había tenido y bebe vinos exóticos. Conoce gente interesante –guerreros, mercaderes, cuenteros, extranjeros que hablan lenguas extrañas. Ni mencionar las mujeres.

> *¡Yo estaba en lo cierto!* Se dice a sí mismo. *Esta vida es maravillosa. Fui un tonto al no irme antes de la casa de mi padre.*

Despilfarra su dinero en cada entretenimiento y placer que puede encontrar, sin notar que su billetera está cada día más liviana. Entonces, después de un año o dos una hambruna llega a donde él se encontraba. Su vida de fiestas y frivolidad se detiene repentinamente. El alimento escasea de tal manera que una tajada de pan puede costar el sueldo de una semana. Con el dinero que le queda solamente puede alimentarse. Ahora no tiene a dónde ir.

En su desesperación busca trabajo en una finca.

Esto es sólo temporal, se dice a sí mismo durante el primer día de hambre y frío.

Un día yo tendré mi propia finca y la buena vida volverá.

Su nuevo jefe lo llevó afuera de los establos. El joven sintió un nudo en el estómago mientras agarraba el balde de madera –como lo había hecho tiempo atrás en su casa. Sólo que ahora el dueño de la finca señala el corral de los cerdos y se va.

Durante varios días el joven atiende a los cerdos en medio del frío. Tiene tanta hambre que considera la idea de robarse un poco de la miserable comida de los animales. Cada vez que levante el balde para verterlo a los animales, recordaba la vida que había dejado atrás.

"¡Los sirvientes de mi padre tienen mucho más qué comer, mientras que yo aquí me muero de hambre!" Entonces así como lo había hecho muchos meses atrás, decidió cambiar nuevamente el rumbo de su vida. "Iré a casa y confesaré todo. Le diré a mi padre: "He pecado contra ti. Ya no soy digno de ser llamado tu hijo...Trátame como a uno de tus sirvientes y permíteme volver a casa".

Entonces parte inmediatamente –solamente con una pizca de esperanza.

Mientras tanto, su padre se encuentra mirando hacia el camino. Él nunca pierde la esperanza de que algún día, su hijo regrese. Tan seguro estaba, que un día ve a su hijo acercarse por el camino. El amor y la compasión brotaron en él, sin vacilar, corrió a abrazar a su muchacho.

"He pecado contra ti, padre. Ya no debes considerarme tu hijo. Sólo te pido que me dejes vivir con tus sirvientes".

"De ninguna manera: ¡Tú eres mi hijo! ¡Estás perdonado!" El mandó a traer un manto muy fino para colocarlo sobre los hombros de su hijo. Y puso un anillo en su mano. Ordenó además que se hiciera una gran fiesta esa noche.

Mientras todo esto ocurría, el hermano mayor del joven se encontraba trabajando en el campo. Cuando regresa esa tarde, se sorprende al escuchar la música y ver que había baile. Le pregunta entonces a un sirviente: "¿Qué está pasando?"

"¡Tu hermano ha regresado!" "¡Tu padre ha ordenado matar al becerro más grande y hacer una fiesta!"

El hijo mayor se pone furioso y amargado ante esta noticia y rehúsa venir a la celebración, Al oír esto su padre sale a buscarlo.

"Padre, todos estos años te he sido absolutamente leal. He trabajado duramente sin quejarme y tú nunca me has dado más que un cabrito para celebrar con mis amigos. Ahora viene este ingrato, ese que se hace llamar tu hijo, y que ha desperdiciado tu dinero con prostitutas, ¡y tú haces una fiesta tan grande como nunca la había visto! ¡No es justo!".

Este sabio padre amablemente pone su mano sobre el hombro de su hijo. Él sabe que éste es uno de esos momentos en que la necesidad de misericordia es mayor que la necesidad de justicia –aún cuando su hijo no pueda verlo.

"Hijo mío, tú siempre estás conmigo y todo lo que es mío es tuyo", lo dice con lágrimas en sus ojos. "Es necesario celebrar y estar contentos por este tu hermano que estaba muerto ahora está vivo, se había perdido y es hallado! [7]

Es difícil imaginar un cuadro más claro del amor de Dios que este padre tan emocionado corriendo para encontrarse con su voluntarioso hijo, aún antes de que el muchacho pudiera mencionar una sola palabra de arrepentimiento. Los sirvientes debieron pensar que el padre lo había "perdido" cuando lo vieron ir saltando y gritando de felicidad a través del campo. No es un secreto que el padre debió haber sentido una herida muy profunda por la rebelión de su hijo. Ahora es claro que hacía *ya mucho tiempo que él había perdonado la ofensa.* ¿Por qué? No porque fuera justo, legal o rentable ni tampoco porque el muchacho hubiera hecho algo por ganarlo o merecerlo.

Lo perdonó por su amor profundo e incondicional.

Pablo entendió esto perfectamente al escribir:

> *¿Quién nos apartará del amor de Cristo?....Estoy convencido*
> *que ni la muerte ni la vida, ni los ángeles ni los demonios, ni lo*
> *presente ni lo por venir, ni los poderes, ni lo alto ni lo*
> *profundo ni cosa alguna en toda la creación, podrá*
> *apartarnos del amor que Dios nos ha manifestado en Cristo*
> *Jesús Señor nuestro.* [8]

Esta es la esencia de la fe cristiana –el amor extraordinario de Cristo, el cual es nuestra clave para el éxito relacionado con el perdón. Comienza aquí, en nuestro entendimiento, que somos extraordinariamente perdonados porque somos extraordinariamente amados.

Considero que es casi imposible perdonar a alguien que nos ha lastimado profundamente si no comprendemos muy bien el perdón incondicional de Dios. El psicólogo Everett Worthington dice: "Cuando Jesús dejó a un lado su divinidad [9] y después dio su vida [10] él ilustró el amor incondicional del corazón del cristianismo. Demostró que Dios inicia la salvación de la humanidad a partir del amor." [11]

La Asombrosa Gracia de Dios

Podemos amar extraordinariamente porque *somos* amados extraordinariamente. *Podemos* perdonar extraordinariamente porque *hemos sido* extraordinariamente perdonados. *Podemos desocupar* nuestros costales de *cada roca de lastre* porque el Removedor de Rocas ordenó desocupar el saco. Así que repasemos los cinco factores claves que conocemos acerca del perdón basados en el ejemplo de Jesús:

Ni una Partícula de Rencor a la Vista

Los *Agregados*, tales como arena, gravilla y
piedra triturada, se utilizan comúnmente para
elaborar concreto y asfalto y tienen mayor solidez en la medida que se hace
la mezcla. Sin los agregados, las casas no sepodrían construir y las autopistas
tampoco tendrían tan buena calidad.

Aunque las pequeñas partículas de arena no se pueden apreciar a simple
vista en un gran lote de concreto, la arena tiene su propósito al estar en
esa mezcla.

Pero, las partículas de arena no tienen oficio si las depositas dentro
de tu saco o de tu zapato o si cae en tu ojo. ¡Obviamente están en el lugar
equivocado! Esas partículas necesitan limpiarse.
Estamos llamados a perdonar así como hemos sido perdonados
–completamente.

Ni una traza de rencor permanece. Cuando entregas a Dios
tus más mínimos rencores, el Supremo Hacedor mezclará tus dolorosas
experiencias con Su plan maestro para construir el sendero adecuado para
ti. Ten en cuenta que aún se pueden acumular partículas de arena haciendo la
carga más pesada -aún partículas que crees que no son importantes.

Dios no sólo desea tus rocas y guijarros; también desea las partículas de
arena. No importa qué tan pequeña es la ofensa, también debes perdonar.
Cada partícula de rivalidad necesita removerse lo mismo que cada partícula
de rencor. Déjala ir y dásela a Dios….hasta que no haya ni una partícula
de rencor a la vista.

1. El Perdón trae vida, no muerte

La llegada de Jesús a la tierra comenzó una nueva era –una nueva
forma para que la gente se relacionara con Dios. En lugar de tener
un estricto código de sacrificios, Cristo trajo el perdón y la libertad.
En lugar de vivir la vida con reglas rígidas, Cristo trajo el regalo de la
gracia. Su vida, muerte y resurrección acabó con la necesidad de
una época antiguada y cruel e introdujo una nueva época de libertad
y misericordia.

El gran evangelista D.L. Moody, quien vivió en el siglo XIX, dijo:

Cuando Moisés fue a Egipto a castigar al Faraón, convirtió las aguas en sangre. Cuando Cristo estaba en la tierra, convirtió el agua en vino. Esta es la diferencia entre la ley y la gracia. La ley dice: "Mátalo"; y la gracia dice: "Perdónalo." La ley dice: "Condénalo"; la gracia dice: "Ámalo".

Cuando la ley salió de Horeb, destruyeron a tres mil hombres.[12] En Pentecostés, bajo la gracia, tres mil encontraron vida.[13] ¡Qué diferencia! Cuando Moisés estuvo frente a la zarza ardiente, se le ordenó quitarse los zapatos. Cuando el pródigo regresó a casa después de pecar, le ofrecieron un par de zapatos para que los calzara. Yo prefiero estar mil veces bajo la gracia que bajo la ley. [14]

Desde nuestro privilegiado punto de vista, escasamente entendemos cuán bendecidos y afortunados somos al vivir de este lado de la línea divisoria del AC/DC. Antes de Cristo, el perdón no era permanente y los sacrificios de sangre debían repetirse continuamente. Entonces, debido a la vida, muerte y resurrección de Cristo, Él les ofreció a Sus creyentes el perdón que es libre, completo e irreversible. Es una tragedia que muchos aún están viviendo como si estuviéramos en el otro lado (AC) –como si el completo y permanente perdón todavía no hubiera sido encontrado… como si Cristo aún no hubiera llegado.

2.- El perdón no se va y es eterno

El perdón de Dios no tiene horario ni fecha de vencimiento. Está compuesto de ingredientes que no tienen tiempo: gracia y amor. Como escribió el salmista: "Porque el Señor es bueno y su gran amor es eterno; su fidelidad permanece para siempre" [15]

De todos los discípulos del Señor, quizás Simón Pedro tenía el mayor instinto guerrero de justicia y venganza. Fue el que agrupó las tropas en defensa de Jesús cuando los guardias romanos llegaron a arrestarlo y le cortó una oreja al sirviente del sumo sacerdote. Y fue el que presionó a Jesús un día para que explicara los límites del perdón: "Entonces se le acercó Pedro y Le dijo: "Señor, ¿cuántas veces perdonaré a mi hermano que peque contra mí? ¿Hasta siete?" Jesús le dijo:"No te digo hasta siete, sino aún hasta setenta veces siete'"[16]

Setenta veces siete no es una ecuación matemática sino una espiritual. Es una metáfora que significa continuar y no parar. Mucha gente dice: "Te voy a perdonar esta vez, pero hasta ahí no más". Pero la voluntad de Dios para perdonar nunca termina. En otras palabras, necesitamos cortar la parte de abajo de nuestros costales. No permitas que se apilen esas rocas de resentimiento. Nuestro Redentor ha removido todas las rocas de aquellos que Lo han recibido en sus vidas. Esto es *extraordinario*.

3.- El perdón limpia las condiciones para la gracia

Cuando Mike se me acercó después de un seminario sobre el perdón, habían pasado cinco años desde el asesinato de su hijo. Sin embargo, para Mike era como si hubiera pasado ayer. El tiempo dejó de correr, atrapado en su incapacidad para perdonar a aquellos por la muerte de Richie.

"Era un chico maravilloso", me dijo Mike, sin evitar mostrar su emoción que le hacía temblar la voz. "Tenía muy buenas notas en el colegio. Ayudaba a los vecinos. En la iglesia era líder en el grupo de jóvenes. Sus amigos eran unos excelentes cristianos. Por tal razón, cuando cumplió los 15, le fuimos dando permiso de salir con ellos por la noche. No lo podíamos retener para siempre –y sabíamos que estaba seguro."

Una noche después de una fiesta en la iglesia, se amontonaron dentro de un carro cuyo conductor era uno de los muchachos mayores, para ir a comprar hamburguesas. Mike le recordó a Richie la hora de regreso y luego se alejó. Esta fue la última vez que Mike lo vio vivo.

La investigación de la policía logró juntar todos los datos de lo que había sucedido. Luego de comer, el conductor y otros dos muchachos en el carro, dijeron que tenían que hacer un "mandado". Que no tomaría mucho tiempo. Los condujeron hasta un estacionamiento en el centro de la ciudad en un sector peligroso. Los muchachos, incluyendo a Richie, se bajaron del carro. El mandado resultó ser una cita con un distribuidor de droga. La policía concluyó que no era la primera vez que se reunían, ya que surgió una discusión entre los hombres en el estacionamiento y el conductor del carro. El traficante sacó el arma y comenzó a disparar. Richie fue alcanzado en el pecho.

"Son tantas las equivocaciones acerca de aquella noche" comentó Mike mientras se le escurrían las lágrimas. "Trato de perdonar, pero no sé por dónde empezar. Pienso en el hombre con el arma y a veces sé que podría perdonarlo. Pero luego recuerdo a los chicos que llevaron a Richie. ¿Qué estaban pensando? Y luego me pregunto por qué Richie salió del carro. Es demasiado. Durante cinco años he tratado de elaborar esto pero no puedo. No sé a quién debo culpar o a dónde debo trazar la línea. Podría perdonar a algunos de los involucrados pero no a otros."

Es una lucha saber desde dónde trazar la línea cuando tratamos de aclarar tan horrorosa situación. Sentimos que debemos trazarla en algún lugar o quedaremos abrumados.

"¡Lo siento, June! Dijo Mike con voz contenida por la angustia. "Lo que Jesús pide es demasiado. El límite fijado por Él es demasiado alto". Es como si un volcán hubiera estallado hace cinco años y hasta ahora ninguna partícula de lava endurecida hubiera sido retirada del saco de Mike. Aún cargaba el peso completo de la falta de perdón.

"Estoy de acuerdo acerca de los límites tan altos"

El quedó impactado.

"Pero estas son *buenas* noticias. Para nuestras mentes irracionales, el límite que Jesús dispone es tan extraordinario que se convierte en algo ilimitado"

Le expliqué que los estándares son reglas que utilizamos para juzgar algo. Por ejemplo, los promedios para las admisiones a la universidad le permiten a cualquiera saber cuánto puntaje se necesita. "Si su puntaje es lo suficientemente alto, entonces será aceptado". En el Antiguo Testamento la ley establecía un estándar impecable. Nadie podía sobrepasarlo y todos eran condenados bajo sus demandas inalcanzables.

Jesús se expresaba así respecto a la ley:

Ustedes han oído que se dijo: "Ojo por ojo y diente por diente." Pero yo les Digo: No resistan al que les haga mal. Si alguien te da una bofetada en la mejilla derecha, vuélvele también la otra. Si alguien te pone pleito para quitarte la capa, déjale también la camisa. Si alguien te obliga a llevarle la carga un kilómetro, llévasela dos. Al que te pida dale y al que quiera tomar de ti prestado no le vuelvas la espalda. [17]

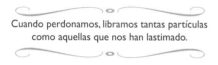
Cuando perdonamos, libramos tantas partículas como aquellas que nos han lastimado.

¿Quién puede seguir esto? Sólo la persona que ha aceptado este hecho: el amor incondicional de Dios ha acabado con la necesidad de decidir a quién perdonar y a quién culpar. Cuando todos son perdonados, lo estándares se acaban y con ellos el problema del juicio. Al adoptar un amor incondicional como nuestro único estándar, nos liberamos de las pesadas rocas que nos agobian. Pero más allá de esto, nos parecemos más a Cristo.

4.- *El perdón es el paso para la reconciliación*

El fruto del perdón siempre es la paz. Algunas veces es la paz interior que sentimos cuando nos alineamos con el amor de Dios. Cuando perdonamos, liberamos todas las partículas que nos han lastimado. Algunas veces la paz fluye a través de nosotros y nos conduce a la reconciliación.

La reconciliación con aquellos que nos han lastimado no siempre es posible. Se necesitan las dos personas para reconciliarse. El perdón es un paso, pero no siempre cruzamos el umbral. Cuando esto es posible, sin embargo, la reconciliación está en el mismo corazón de Dios. [18]

Jesús es el todopoderoso Redentor con un amor poderoso capaz de perdonar a cualquiera, en cualquier momento y por cualquier razón.

El padre del hijo pródigo lo había perdonado mucho antes de verlo de regreso por el camino. Él soñaba con la restauración de su relación. Estaba listo y esperando -*esperando* por aquella visión de su hijo regresando a casa, *esperando* para abrazarlo, *esperando* para reconciliarse con él, *esperando* para ver humildad en él.

Anhelaba ver a su hijo y cuando finalmente el día llega, su anhelo queda satisfecho a la vista de su hijo. No espera por él, no camina hacia él. *Corre* a su encuentro, lleno de alegría, de amor, de perdón. El muchacho merece ser tratado como un miserable, que le ofrezcan una "piedra", pero el padre no puede evitarlo y le brinda un amor espléndido como a un príncipe. Cuando permitimos que entre en nuestros corazones el perdón extraordinario, aún la paz más esquiva está a nuestro alcance.

5.- El perdón borra la deuda

Perdón divino significa que Dios, en Su misericordia, decidió liberarte del castigo por tus pecados. Si has depositado tu fe en Cristo Jesús y Le has pedido que perdone tus pecados, ellos desaparecen —quedando completamente eliminados. Este perdón total y permanente de la deuda está disponible para todo aquél que decida creer en Jesucristo como su Señor y Salvador. Dios dice: "Yo les perdonaré su iniquidad y nunca más me acordaré de sus pecados."[19]

Si los verdaderos creyentes entendieran a un nivel de alma y corazón cuánto los ama Dios y cómo fue que Cristo los liberó, todo acerca de su existencia cambiaría y sería mejor.

Ese es nuestro desafío: aún dentro de nuestras limitaciones mentales y de comprensión, tratar de aferrarnos al amor que nos prodiga Dios. Si pudiéramos experimentar ampliamente la magnitud del perdón de Dios muy adentro de nuestros corazones, más pronto y con ansiedad perdonaríamos a otros. Nuestros corazones para siempre conmovidos y cálidos *estarían* deseosos por perdonar -no sería un envidiable acto de la voluntad. Y estaríamos continuamente vigilando nuestros costales para asegurarnos que ni la más pequeña piedrecita de enojo, amargura y resentimiento quedaran allí depositadas.

El Perdón de Dios es Eterno

Un pastor en las Filipinas, un hombre de Dios muy apreciado, llevó la carga de un pecado secreto que había cometido hacía muchos años. Estaba arrepentido pero aún no tenía paz, no sentía el perdón de Dios.

En su iglesia había una mujer que amaba profundamente a Dios y que afirmaba tener visiones en las cuales hablaba con Cristo y Él con ella. El pastor, sin embargo, era escéptico. Para probarla le dijo: "La próxima vez que hable con Cristo, le pregunta qué pecado cometí mientras yo estaba en el seminario".

La mujer aceptó.

Días más tarde el pastor le preguntó: "Bueno, ¿Cristo ya la visitó en sus sueños?"

"Si, ya Lo hizo."

"¿Y Le preguntó qué pecado cometí en el seminario?"

"Si."

"¿Pero qué dijo Él?"

La mujer lo miró directo a los ojos. "Él dijo: "No lo recuerdo" "[20]

El asunto es bien claro: Dios perdona y olvida. Cuando el Señor perdona tus pecados, éstos desaparecen para siempre. Él dice: "No lo recuerdo"… y Él no vuelve a recordar tu pecado.

CAPÍTULO 5

Deshaciéndose de la Cascada de Recuerdos

La Libertad que Da el Completo Perdón

UNO DE MIS HÉROES DE LA FE ES Corrie Ten Boom, una sobreviviente del Holocausto Nazi con una asombrosa devoción a Dios. Cada vez que deseo inspiración acerca del poder del perdón, recuerdo su historia.

En 1944, cuando los alemanes nazis ocuparon Holanda, un anciano relojero y su familia estaban activamente involucrados en la Clandestinidad Holandesa. Escondiendo a personas judías en un cuarto secreto de su casa, la familia Ten Boom valientemente ayudó a hombres, mujeres y niños judíos a escapar de la lista de muerte de Hitler.

Pero un día fatal, su secreto se descubrió. Un hombre a quien el padre de Corrie le había enseñado relojería unos años antes, traicionó a la familia informándole a los nazis acerca de sus actividades. El padre de Corrie fue arrestado y enviado al campo de concentración donde pronto murió. Su amada hermana, Betsie, tampoco pudo escapar de las garras de la muerte en manos de sus crueles verdugos. Ella pereció en Ravensbruck, uno de los campos de muerte más espantosos de Hitler.

Corrie también fue enviada a Ravensbruck. Allí, Corrie fue testigo y sufrió las atrocidades más indescriptibles. Cada día ella y sus compañeras tenían que soportar el más horroroso abuso, suciedad, inanición y degradación de todo tipo.

A diferencia de muchos otros – de hecho, millones – Corrie fue milagrosamente librada de la muerte. Por un error en el texto de un documento, fue puesta en libertad y pudo salir del campo. Lo que para algunos es una coincidencia o el destino, Corrie lo llamó una intervención divina. Y por estar ella libre mientras otros murieron, ella sintió un poderoso llamado a demostrar y declarar el amor y perdón de Dios mientras pudiera hacerlo.

Avancemos hasta 1947. Habían transcurrido dos años después que la guerra había terminado y Corrie había viajado desde Holanda hacia la derrotada Alemania con el mensaje del perdón de Dios. Las heridas emocionales, físicas y espirituales que la guerra había provocado, estaban aún frescas y abiertas en esa tierra bombardeada por la amargura.

En una iglesia de Munich, Corrie habló del amor de Dios y compartió su cuadro mental favorito en relación al perdón. Ella dijo a la audiencia, que al crecer no muy lejos del mar, ella siempre se imaginaba que era allí a donde eran arrojados los pecados.

"Cuando confesamos nuestros pecados", explicó ella, "Dios los arroja al fondo del mar. Y aunque no pueda encontrar una Escritura para esto, yo creo que Dios coloca un letrero afuera que dice: "No está permitido pescar"".

Sus palabras estaban acompañadas con solemnes expresiones, de manera que la gente que se encontraba reunida en la iglesia, la miraba fijamente desde atrás, sin atreverse a creer completamente su mensaje de perdón total. Ella terminó su exposición sin ser consciente de que su propia habilidad para perdonar sería severamente probada. Ella recordó lo que ocurrió en seguida:

Es entonces cuando lo vi a él, apresurándose por llegar adelante. En un momento vi su abrigo azul y el sombrero marrón y enseguida su uniforme azul y una gorra de visera con el emblema del ejército nazi de Alemania.
El recuerdo me llegó como un torrente agudo –el cuarto enorme con luces penetrantes; el patético montón de ropa y zapatos en el centro; la vergüenza de haber tenido que caminar desnuda delante de este hombre.

Pude ver de nuevo el cuerpo tan frágil de mi hermana delante de mí en la fila, sus costillas visibles por debajo de su piel ya transparente como un pergamino. "¡Betsie, qué delgada estabas!"

El lugar era Ravensbruck, uno de los campos de concentración, y el hombre que venía hacia mí había sido uno de los guardias –uno de los más crueles. Ahora él estaba en frente de mí. Extendiéndome su mano"¡Excelente mensaje, Fraulein! Qué bueno es saber que, como usted dice, ¡todos nuestros pecados están en el fondo del mar!"

Y yo, que estaba hablando tan elocuentemente sobre el perdón, dejé caer mi cartera en lugar de tomar esa mano. El no me recordaba, por supuesto - ¿Cómo podría recordar a alguna prisionera entre esas miles de mujeres?

Pero yo lo recordaba, y su látigo de cuero colgando de su cinturón. Estaba cara a cara frente a uno de mis verdugos y mi sangre parecía que se iba a congelar.

"Usted mencionó Ravensbruck en su exposición… yo fui un guardia allá… Pero desde ese tiempo, me he convertido en un cristiano. Yo sé que Dios me ha perdonado por las cosas crueles que hice allá, pero me gustaría oírlo de usted también. Fraulein",- nuevamente extendió su mano hacia mí – "¿usted me perdona?"

Corrie describió sus frenéticos pensamientos y emociones:

Permanecí ahí de pie – yo, a quien los pecados le habían sido perdonados una y otra vez – ahora no podía perdonar. Betsie había muerto en ese lugar - ¿podía él borrar su terrible y lenta muerte simplemente por pedir perdón?

No fueron muchos los segundos que él estuvo ahí – con su mano extendida- pero para mí fueron como horas mientras luchaba con lo más difícil que he tenido que enfrentar en mi vida.

Tenía que hacerlo – yo lo sabía. El mensaje del perdón de Dios tiene una condición previa: que perdonemos a aquellos que nos han ofendido. "Si no perdonas a otros sus ofensas," dijo Jesús, "tampoco tu Padre que está en los cielos perdonará tus ofensas"….Y aún así permanecí allí con la frialdad congelando mi corazón. Pero el perdón no es una emoción –también sabía esto. El perdón es un acto de la voluntad y la voluntad puede funcionar a pesar de la temperatura del corazón. "Jesús, ¡ayúdame!" Oré silenciosamente. "Puedo levantar mi mano. Puedo hacerlo. Tú suplirás el sentimiento".

Y mecánica y secamente puse mi mano en aquella que estaba estirada. Y mientras lo hacía, algo increíble sucedió. Una corriente comenzó en mi hombro, bajó por mi brazo y saltó hacia nuestras manos unidas. Y luego una tibieza sanadora pareció inundar todo mi ser y brotaron lágrimas de mis ojos.

"¡Lo perdono, hermano!" dije llorando. "¡Con todo mi corazón!"

Durante un largo rato tuvimos las manos unidas, el antiguo guardián y la antigua prisionera.

Corrie escribió más tarde: "Nunca hasta ese momento había conocido el amor de Dios tan intensamente. Pero aún así, me doy cuenta que no era mi amor. Había tratado y no tuve el poder. Fue el poder del Espíritu Santo" [2]

Me encanta esta historia porque demuestra que Corrie –la cristiana más firme que he conocido- luchó poderosamente para perdonar, compartiendo con miles de personas sobre la libertad que da el perdón. Había una montaña de piedra tan terriblemente incrustada en su alma, que sin el poder sobrenatural de Cristo, Corrie no podría haberla sacado.

Piense en esto: Si Corrie se resistió inicialmente, pero luego perdonó a tan ilustre ofensor, es seguro que existe esperanza para nosotros cuando al buscar perdón vemos una desalentadora tarea. Corrie dio pasos hacia el perdón… aún cuando ella no lo sentía. Su obediencia cinceló la montaña de piedra y con la ayuda del Espíritu Santo la redujo a residuos de gravilla que fácilmente pudo barrer. Corrie encontró libertad en el perdón total.

¿Por qué la Dificultad para Perdonar?

Muchas de las personas con quienes hablo *desean* perdonar y *saben* que deben perdonar, pero insisten en que no pueden perdonar. Han acumulado tantas rocas que sienten que no hay manera en que puedan encaminarse a la libertad. Muchos hombres y mujeres me han dicho: "Si supiera mi situación –las espantosas experiencias por las cuales he tenido que pasar- sabría por qué no puedo perdonar. Lo siento, pero no hay caso."

Efectivamente, docenas de veces he oído historias relacionadas con horribles abusos y comprendo por qué estas personas piensan que es imposible perdonar. Las personas cuyas vidas han sido lastimadas por la crueldad y tratamientos enfermizos, lo que más necesitan es compasión, apoyo y amor.

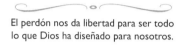

El perdón nos da libertad para ser todo lo que Dios ha diseñado para nosotros.

Esto nos lleva de nuevo a nuestro tema central: La primera razón por la cual Dios desea perdonarnos es porque *el perdón nos da libertad para ser todo lo que Él ha diseñado para nosotros.* El perdón es bueno para nosotros como curación en una herida abierta y como cirugía correctiva para un corazón roto. El perdón nos hace bien cuando aflojamos la agarradera de nuestro incómodo saco y cuando nos deshacemos de nuestras rocas de resentimiento.

Dios no es dominante ni presiona como un padre exigente diciendo: "Adelante –haz lo que se te ha dicho. Dale que dale. Deja de enfurruñarte. ¡Solamente perdona!" No, Dios está diciendo algo completamente diferente. Él está diciendo:"Me preocupo tan profundamente por ti que te deseo lo mejor. El perdón es una forma vital para que yo pueda restaurar tu alegría y para que disfrutes la vida abundante que te he prometido"

Barreras para Perdonar

Aún cuando reconocemos que Dios conoce nuestras mejores intenciones, insistimos en que perdonar a ciertas personas es imposible. ¿Por qué es tan difícil perdonar? He aquí algunas de las barreras más comunes para perdonar:

- No tenemos ningún modelo de perdón de nuestros padres. "No sé *perdonar."*
- Negar que la ofensa realmente ocurrió. "No quiero ni pensar en ello."
- El temor a ser considerado culpable. "Realmente tengo toda la culpa." *(Esta manera de pensar hace cortocircuito con la realidad y el dolor de estar equivocado).*

- Sentir que no puede perdonarse a sí mismo. "Ni misericordia para mi, ni misericordia para ti."
- No ser perdonado por sus ofensas pasadas. "Ellos no me perdonaron. ¡Por qué debo perdonarlos?
- El no entender el perdón de Dios. "Dios nunca me perdonará; nunca la perdonaré."
- El considerar que la amargura es la respuesta correcta para la traición. "Dios sabe que mis sentimientos son normales."
- El pensar que el perdón excusa un comportamiento injusto. "¡No voy a decir que lo que ella hizo está correcto!"
- Requerir una disculpa o mostrar arrepentimiento. "Él no debe ser perdonado porque realmente no lo siente.
- El sentimiento de poder al retener el perdón. "¡Necesita saber qué equivocado estaba!"
- El negarse a ceder en la venganza. "Debe pagar por lo que hizo."
- El albergar un corazón orgulloso y duro que se convierte en un baluarte espiritual. "Me niego a perdonar."

Más de uno de estos raciocinios pueden bloquear el perdón y doblegarlo con piedras de aversión. He oído mencionar a la gente todas las razones anteriores en una u otra oportunidad, pero he escuchado otras dos tan a menudo que garantizan una explicación posterior.

"¡No sería Justo!"

En el fondo de este enunciado está el tema de la justicia. Para ser sincera, este ha sido mi talón de Aquiles cuando se refiere al perdón –siempre ha sido y probablemente siempre lo será. Soy extremadamente orientada al concepto de justicia y quiero resolver cualquier situación injusta con la mayor imparcialidad y equidad posibles. Quiero que se prenda y castigue a los criminales con todo el peso de la ley. Quiero que las escalas de la justicia se balanceen perfectamente.

Yo me he preguntado: ¿Por qué mi necesidad de justicia es tan fuerte y tan natural y por qué el perdón es tan difícil y tan poco natural? Creo que existen tres razones:

1.- *Dios ha depositado en cada corazón humano el sentido del bien y el mal.* El apóstol Pablo destacó esto cuando habló de los no creyentes (a quienes en este caso llamó gentiles) y su innato deseo de seguir un código de ética o reglas. "Cuando los gentiles, que no tienen la ley, cumplen por naturaleza lo que la ley exige… éstos muestran que llevan escrito en el corazón lo que la ley exige"[3]. Cada cual tiene la conciencia que Dios le ha dado, el sentido del bien y del mal. Por lo tanto, sentimos necesidad de justicia cuando somos maltratados.

2.- *Con base en la ley, el perdón parece inapropiado.* De alguna manera un sistema tipo blanco y negro o de ley y orden parece controlable y cuantificable. Es claro y seguro. Consideremos las palabras de Moisés: "Entonces le harán a él lo mismo que se proponía hacerle a su hermano. Así extirparás el mal que haya en medio de ti. Y cuando todos los demás oigan esto, tendrán temor y nunca más se hará semejante maldad en el país. No le tengas consideración a nadie. Cobra vida por vida, ojo por ojo, diente por diente, mano por mano y pie por pie."[4] Para una persona como yo tan orientada hacia la justicia, ¡esto suena completamente lógico!

Pero cuando vuelvo sobre la verdadera esencia del cristianismo, la cualidad que lo hace diferente de cualquier religión es la *gracia*. Porque Dios es un Dios de justicia y alguien tenía que pagar. Y ese alguien fue Jesús. Sólo la muerte de Jesús en la cruz cumplió con la justicia de Dios. (Ver Romanos 3:25-26).

Sabiendo esto, ¿debemos esperar justicia antes que ofrecer misericordia y perdón? Aunque cada uno está sujeto a la justicia de Dios, Jesús fue el pago por los *errores de cada persona*. Mientras los gobiernos se rigen por la justicia, *individualmente* somos llamados a ofrecer misericordia. La justicia *individual* se la dejamos a Dios. La Biblia nos manda "a ser compasivos, así como el Padre es compasivo". [5]

3.- *Nos sentimos indignados cuando se niega la justicia*. Así que el clamor por justicia es común para todos –*todos excepto la persona culpable* que espera recibir justicia. Muy interesante, ¿verdad?

Exigimos justicia cuando hemos sido víctimas de una equivocación –pero solicitamos compasión cuando estamos en el banquillo. Hacemos eco a las palabras del salmista: "Ten compasión de mí, Oh Dios, conforme a tu gran amor; conforme a tu inmensa bondad, borra mis transgresiones".[6] Esta dualidad –exigir justicia para los demás mientras se pide compasión para nosotros- puede ser parte de la naturaleza humana, pero también va contra el espíritu de perdón.

"¡Él no lo Merece!"

Muchas personas consideran que no pueden –o no debieran- perdonar cuando el ofensor no da señales de remordimiento o arrepentimiento. ¿Se le debe conceder el perdón a alguien que es incapaz de excusarse o al menos aceptar su mala acción? Esto es muy difícil para las personas que han sido lastimadas profundamente.

Una noche que yo estaba hablando sobre el perdón, Joanna estaba escuchando el programa *Esperanza en la Noche* (Hope in the Night). Mencioné que la gracia de Dios está disponible para todos y por consiguiente nuestra buena disposición para perdonar no debe ser selectiva o condicional.

Dicho comentario hizo que Joanna hiciera una llamada. "Estoy de acuerdo con Ud. la mayor parte del tiempo, pero creo que está equivocada al decir que debemos perdonar bajo *cualquier* circunstancia. Algunas personas sencillamente no lo merecen."

Joanna llegó a esta conclusión porque tuvo un padre abusador en su niñez. Sus ofensas contra ella abarcaron todo el espectro: psicológico, emocional y físico. Su pena era tan profunda que trató de suicidarse cuando estaba en la universidad.

Algún tiempo después se convirtió al cristianismo y asistió a un grupo de apoyo para víctimas de abuso. En la medida que el tiempo pasaba, vio la necesidad de perdonar a su padre e hizo un gran progreso al entregarle a Dios su pasado. Cada día se sentía más fuerte y con más paz. Finalmente decidió que había llegado el momento de enfrentar de nuevo a su padre y decirle que lo había perdonado.

¿Cuáles fueron los resultados?

"El sólo se rió de mí. Juró y me aseguró que no tenía nada de qué arrepentirse. Es más, me dijo que yo debía pedirle excusas a *él* por las dificultades que tuvo para criarme. Aún cuando traté de perdonarlo él me humilló, tal como lo hizo tantas veces mientras crecía."

La intención de Joanna de perdonar se fue por la ventana. El gran peso de dolor y rabia acumulado durante toda la vida la estaban aplastando. Era como si su enorme saco de guijarros le hubiera caído sobre el pecho, sacándole todo el aire.

"Entonces en ese momento decidí que nunca lo iba a perdonar hasta que él me lo pidiera." Ella dijo con dura determinación. Una situación como la de Joanna coloca el asunto en una encrucijada –donde los pensamientos elevados se cruzan con la dura realidad terrenal.

¿Por qué Jesús Perdonó?

De todas las horrorosas ofensas de la historia, ninguna se compara con aquella que los seres humanos le hicieron a Jesús en el día de Su crucifixión. Ellos lo golpearon, se burlaron de Él y lo humillaron. Lo ejecutaron de la manera más cruel que les fue posible. Nunca ninguno ha sido tan inocente y sufrido como lo fue Jesús aquel día. Pero aún en Su muerte Él nos enseñó cómo perdonar a los que nos ofenden –aunque no expresen remordimiento o no lo lamenten.

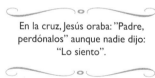

En la cruz, Jesús oraba: "Padre, perdónalos" aunque nadie dijo: "Lo siento".

La prueba está en la oración de Jesús colgado en la cruz: "Padre, perdónalos porque no saben lo que hacen".[7] Nadie había pedido ser perdonado. Nadie había mostrado remordimiento. Nadie dijo: "Lo siento". Como indican las palabras de Jesús, ni siquiera se dieron cuenta del inimaginable crimen que estaban cometiendo –matando a Cristo, el Hijo de Dios. Sin embargo Él los perdonó…y en el proceso, Él nos perdonó.[8]

CÓMO PERDONAR... CUANDO NO LO SIENTES

Alguna gente se pregunta: "Cuando Jesús estaba en la cruz, Él oraba: "Padre, perdónalos" ¿Significa esto que todo el que estuvo presente en la crucifixión de Cristo recibió la salvación? No. Tenga en cuenta que el perdón es un regalo y el perdonador es bendecido al dar el regalo así la persona que recibe el regalo esté dispuesta a recibirlo o no. Muchos no aceptan el perdón porque el aceptarlo implica aceptación de la necesidad de él.

El ofrecer un regalo es una cosa, el recibirlo es otra. El tener sus pecados pagos por Jesús es una cosa. El recibir y obtener beneficio de Su pago es otra cosa.

Nuestra parte es perdonar y la parte del ofensor es recibir el perdón.

Cuando hablaba con Joanna acerca de esto, destaqué que el motivo de Jesús no era por imparcialidad o justicia. Él pidió al Padre que tuviera compasión con aquellos que fueron injustos con Él debido a Su extraordinario amor. La única manera de que podamos perdonar a otros que han lastimado o robado parte de nuestras vidas es porque Jesús dijo: "Padre, perdónalos." Claro que Él no quiso decir que ellos no se estaban dando cuenta de sus acciones; más bien ellos no podían ver más allá de sus narices sobre las consecuencias de sus acciones. ¡Ellos eran espiritualmente sordos, tontos y ciegos! El amor extraordinario de Cristo –Su amor ágape (que busca lo mejor para la otra persona)- es el único medio por el cual logramos el poder para perdonar a aquellos que han clavado un cuchillo en el corazón o una lanza en el costado.

Cristo sufrió injusta y horriblemente para perdonar nuestros pecados –los tuyos, los míos y los de todo el mundo.[9] Por lo tanto, si eres un verdadero cristiano, puedes descansar en Cristo (que vive en ti) para permitirte soportar sufrimientos injustos... pero además para perdonar a aquellos que te maltrataron.

Es necesario ser muy claro sobre este punto: Todo cristiano está llamado a sufrir, pero con ese sufrimiento viene una bendición. Como escribió el apóstol Pedro:

Esculpiendo una Pieza Maestra

El *mármol* viene de una cantera, a menudo en grandes bloques y losas. Cuando un escultor necesita mármol, él envía las especificaciones del tamaño de la pieza que requiere (longitud, anchura, espesor y forma) y también incluye otros factores como: color, veta, acabado y diseño.

No se pueden mover fácilmente los bloques de mármol muy grandes, así como al que lastima terriblemente no se le perdona fácilmente. Puede ser todo un proceso el eliminar las heridas cuando la carga es especialmente pesada y el perdón total puede tardar en llegar.

Pero cuando entrega esos bloques tan pesados que lo agobian, presentándoselos al Maestro Escultor, Él creará una pieza maestra sorprendente. Cuidadosamente removerá con el cincel todo lo que no se ajusta al carácter de Cristo.

Por la gracia de Dios y en Su tiempo, Ud. será capaz de perdonar las ofensas aunque sean tan grandes como una gigantesca losa de mármol. Él levantará el dolor más pesado -que lo lastima aunque siempre lo soporte- pero usará la experiencia para moldearlo, para esculpirlo y convertirlo en una pieza maestra... mucho mejor de lo imaginado aún por Miguel Ángel, el famoso pintor y escultor renacentista.

"Eso merece elogio delante de Dios. Para esto fueron llamados, porque Cristo sufrió por ustedes, dándoles ejemplo para que sigan sus pasos... Cuando proferían insultos en Su contra, no replicaba con insultos; cuando padecía no amenazaba, si no que se entregaba a aquel que juzga con justicia."[10]

¿Por qué permitir que se suelten del gancho?

Si alguna vez ha estado involucrado en el asunto del perdón, probablemente ha llegado a pensar en algo parecido a esto: *¿Debo permitir que ella se suelte del gancho? Yo estoy sufriendo mientras ella se hace la fresca ¡No estoy de acuerdo!*

71

Necesita comprender que el perdón no es cuestión de permitir que el ofensor se "suelte del gancho". Más bien es un asunto de soltarlo de su gancho y colocarlo en el gancho de *Dios*. Hay una frase en 1 Pedro 2:23 que es crucial para darle el poder para perdonar: Jesús "confió en aquel que juzga con justicia."

El Señor desea que tomes el dolor del pasado y lo deposites en Sus manos. Date cuenta de este concepto clave:

*   *Mía es la venganza. Yo pagaré. A su debido tiempo su pie resbalará;*
*   *Se apresura su desastre, y el día del juicio se avecina." 11*
*   *¿Acaso Dios no hará justicia a sus escogidos, que claman a Él día y noche? Se tardará mucho en responderles?*
*   *Les digo: que sí les hará justicia y sin demora." 12*

Pasajes como estos satisfacen nuestra necesidad de justicia e imparcialidad mientras se retira la carga de nuestros hombros. Dios tratará con cada persona de acuerdo con sus actos.

Este concepto permitió a Joanna perdonar a su padre aunque él no aceptó la responsabilidad por el dolor que causó. No importa lo que le haya respondido, Dios lidiará con él justamente y lo llamará a cuentas, en esta vida o en la otra. Con esta premisa Joanna se dio cuenta que estaba libre para perdonar a su padre.

Después de desembarazarse de una relación tan pesada, a Joanna le cambió la vida, asegurando que Dios tenía el control completo de la situación. Ella había tenido que pasar a través de capas y capas de recuerdos dolorosos que sirvieron como obstáculos, hasta que al fin encontró la rica recompensa del perdón-libertad. Pero su obediencia y un nuevo conocimiento de la justicia de Dios le ayudaron a apartar toda una vida de amargura hasta avanzar hacia el *perdón total*.

¿Cuántas Veces Debo Dar Misericordia?

¿Recuerdas cuando Pedro le preguntó a Jesús si él debía perdonar a una persona siete veces? (ver Mateo 18:21). Pienso que Pedro debía estar orgulloso al decir que siete veces – ¡no dos, tres o cuatro!

Pedro se sentía orgulloso de su generosidad. ¿Recuerdas cómo le contestó Jesús?

"No te digo hasta siete veces, sino hasta setenta veces siete" (Mateo 18:22).

Genial -¡nadie hubiera esperado esta respuesta! Y mejor es no contar. *Oh, esta es la ofensa #3...esta es la #13...esta es la #43*. Sin duda esta respuesta hizo que más de uno levantara las cejas. El argumento de Jesús fue que debíamos perdonar cada vez que hubiera una ofensa –*sin importar cuántas veces.*

Conociendo la naturaleza humana y nuestra propensión a negar el perdón, Jesús dice una historia sencilla que podemos tomar como guía en nuestra vida. Un siervo le debe a su señor 10.000 talentos (como $50.000.000 al cambio actual). El señor ordena al siervo y su familia que se vendan –literalmente- con todo lo que poseen a fin de devolverle lo que debe.

El siervo cae de rodillas pidiendo misericordia: "Tenga paciencia conmigo y se lo pagaré todo".

El señor se compadece de él y le perdona toda la deuda.

Tiempo después este mismo siervo increpa a otro siervo compañero porque le debe 100 denarios (como $50). Comienza a estrangularlo y a cobrarle la deuda. Este compañero cae de rodillas pidiendo misericordia.

"Ten paciencia conmigo," ruega el hombre desesperado, "y te lo pagaré todo".

Pero el primer siervo se niega y hace encarcelar al hombre hasta que pueda pagar la deuda.

Cuando otros siervos ven lo que está ocurriendo, se entristecen mucho y van a contarle al señor. El señor llama a tan cruel siervo, furioso porque no fue capaz de tener la misma compasión que él recibió.

¡Tú, siervo malvado! Dijo el señor. "Te perdoné toda la deuda

CÓMO PERDONAR... CUANDO NO LO SIENTES

porque me suplicaste. ¿No deberías haber tenido compasión con tu compañero como yo me compadecí de ti?"

Con ira el Señor manda a la cárcel al siervo despiadado hasta que pueda pagar la deuda.

Jesús concluye la historia diciendo: "Así también mi Padre celestial los tratará a ustedes a menos que cada uno perdone de corazón a su hermano." [13]

El señor en esta parábola representa a Dios, que perdona todas nuestras deudas de pecado cuando nos dirigimos a Él sinceramente pidiéndole perdón y misericordia. El siervo al que le perdonaron todas sus deudas pero es incapaz de perdonar las deudas de otro siervo tiene su deuda de nuevo pendiente y la tiene que pagar completamente. Igualmente si no perdonamos verdaderamente a los otros, renunciamos a las bendiciones que vienen cuando Dios nos perdona. Cuando nos arrastramos con un saco lleno de rocas de resentimiento por negar nuestro perdón, Dios retiene las bendiciones que tiene guardadas para nosotros.

Una de las principales razones por las cuales la gente lucha para perdonar es porque no comprende muy bien que la palabra griega *charizomai* que puede ser traducida como "perdón", significa "conferir un favor *incondicionalmente*." La palabra griega *charis* significa "gracia", que es "dar un regalo que no se merece". El perdón se basa en la gracia y es una expresión de gracia. Por lo tanto tú eres una expresión de la gracia de Dios cuando perdonas a otros. Cuando perdonas a alguien, multiplicas la gracia de Dios. Pablo hizo eco a este sentimiento cuando habló a los Efesios: "Sean

Cuando perdonas multiplicas la gracia de Dios.

bondadosos y compasivos unos con otros, y perdónense mutuamente así como Dios los perdonó a ustedes en Cristo" (4:32). Cuando verdaderamente comprendemos lo mucho que hemos sido perdonados por nuestro Padre celestial, no dudaremos en ofrecer el mismo perdón a otros.

¿Cuáles son los Riesgos y Recompensas del Perdón?

Los Riesgos

Con Jesús, el perdón es blanco o negro –no hay gris. El claramente dice: "Si perdonan a otros sus ofensas, también los perdonará a ustedes su Padre celestial. Pero si no perdonan a otros sus ofensas, tampoco su Padre perdonará a ustedes las suyas."[14] Obviamente es enorme la consecuencia de escoger el no perdonar.

El negarse a perdonar puede ser un bloqueo para la salvación

Bill que había venido a mi casa para el estudio bíblico dijo que él estaba desconcertado porque: "He hecho la oración para salvación varias veces pero sé que no soy salvo." Como primera medida me aseguré que él entendiera el plan de salvación de Dios, lo que verdaderamente hizo. Después de haber orado de nuevo porque Cristo viniera a su vida, dijo con frustración: "Sé que todavía no soy salvo."

Me detuve, pidiendo que Dios revelara el problema *real*. De repente se me vino una pregunta a la mente: "Bill, ¿hay alguna persona a la cual te niegas a perdonar?" Inmediatamente su semblante cambió. Con el ceño fruncido, la mandíbula rígida y evitando la mirada, él contestó "Sí – ¡mi ex esposa! ¡Y *ella no merece* el perdón!"

Después de escucharle su letanía de ofensas, le expliqué: "Bill, el convertirse en un auténtico cristiano significa recibir a Cristo Jesús como *Señor* y Salvador. La Biblia dice:"Cree (confía) en el Señor Jesús y serás salvo."" [15]
"Si Él verdaderamente es tu Señor, significa que Él es tu amo, señor y dueño –a quien le cedes tu voluntad. Si Él dice que perdones, debes estar dispuesto a perdonar. Si te niegas a perdonar, aún eres tu propio señor. No estás recibiéndolo como tu Señor."
Rápidamente él respondió: "No puedo".
Bill, Dios nunca te dirá que hagas algo sin darte el poder para hacerlo."
"Sencillamente no puedo -¡no! No lo haré." Bill se fue cargando un enorme saco de amargura…y nunca lo volví a ver.

Como cuatro meses después durante una conferencia en California, se me acercó la versión femenina de Bill. Brenda había sido abandonada por su esposo –abandonada por una mujer mucho más joven.

Si bien ella anteriormente había orado para que Jesús llegara a su vida, sintió que había una pared de piedra cercando su alma, bloqueando su salvación. Le hice la misma pregunta que le había hecho a Bill: "¿Hay alguna persona a quien te hayas negado a perdonar?

"Si –y es por esto...," aflorando sus sentimientos de "abandonada"- la traición, humillación, falta de confianza. De nuevo, compartí el pasaje mencionado por Jesús al respecto.

La pronta respuesta de Brenda fue: "Oh, No lo sabía. Obviamente *debo* perdonarlo." Y estando lo suficientemente segura, acompañé a Brenda en una oración en la cual ella le dijo al Señor que estaba dispuesta a perdonar. Quitó de su gancho emocional todos los guijarros de amargura y los colocó en el gancho de Dios y se liberó de su esposo en la misma forma. Luego ella le pidió a Dios perdón por todos sus pecados y genuinamente recibió a Jesús como su Señor y Salvador personal.

Al final de este tiempo conjunto, ¡brotaron lágrimas tanto de júbilo como de paz de Dios que transformaron su cara!

Fue un gran *riesgo* el que Bill escogió – ¡y una gran recompensa la que Brenda recibió!

El negarse a perdonar puede bloquear las bendiciones de Dios

El no perdón afecta nuestra comunión con Dios y con los demás y el beneficio de las bendiciones. *Todos* nuestros pecados ya fueron perdonados al momento de la salvación. ¿Significa esto que los verdaderos cristianos pueden perder su salvación si ellos continúan guardando rocas de resentimiento y se niegan a perdonar? La respuesta es no. Romanos 8:1 dice: "Ya no hay condenación para aquellos que están en Cristo Jesús."

Una vez que hayamos sido adoptados por la familia de Cristo, no hay condenación. Esto significa ¡*no condenación!* Adicionalmente, una vez nos convertimos en verdaderos cristianos, la Biblia dice que nos es dada *la vida eterna.* ¿Y qué tanto es eterno?[16] Eterno es *eterno* –que significa ¡para siempre! Así que ¿cómo podemos perder un regalo que Dios dice es eterno? No podemos.

Entonces ¿qué significa esta Escritura para los cristianos –aquella en que el Padre no nos perdonará si rehusamos perdonar? Una de las palabras griegas traducidas "perdón" quiere decir "despegar, enviar lejos, liberar." Puesto de manera sencilla, cuando rehusamos perdonar a otros, el peso del resentimiento, las rocas de venganza, las piedras de desprecio no han sido despegadas –ni nos hemos liberado de la presión de un corazón pesado ni nos hemos liberado de la carga de amargura. Encima de todo, construimos una barrera que bloquea las bendiciones de Dios. Y lo más triste de todo es que hacemos sufrir el corazón de Dios. (Ver Apéndice A en la página 212).

La elección es nuestra: Podemos ser golpeados con nuestras piedras de resentimiento o podemos ser libres para perdonar.

Afortunadamente, hay un lado suelto en esta ecuación de causa y efecto: él es espléndido bendiciendo a aquellos que muestran perdón y misericordia. Me encanta el lenguaje que Jesús utilizó cuando decía: "No juzguen y no se les juzgará. No condenen y no se les condenará. *Perdonen y se les perdonará.* Den y se les dará; Se les echará en el regazo una medida llena, apretada, sacudida y desbordante. Porque con la medida que midan a otros, se les medirá a ustedes"[17]

Lo que Dios determine como "medida llena" para *ti*- sea sabiduría, o un trabajo significativo, relaciones interpersonales especiales – ten la seguridad de que es para bendecir tu vida. Cuando ofrecemos amor, misericordia y perdón a otros, se nos devolverá medida por medida. Si somos generosos en bondad hacia otras personas, Dios nos lo devolverá para que siga "fluyendo".

LAS RECOMPENSAS

Demos una mirada a algunas bendiciones específicas que podemos recibir cuando extendemos el perdón a otros:

El perdón abre la puerta al perdón de Dios. "Porque si perdonan a otros sus ofensas, también los perdonará a ustedes su Padre celestial."[18]

> Cuando perdonamos como hemos sido perdonados, brindamos la clase de misericordia que es capaz de cambiar el corazón de otros.

El perdón previene que crezcan raíces de amargura. "Asegúrense que nadie deje de alcanzar la gracia de Dios; que ninguna raíz de amargura brote y cause dificultades y corrompa a muchos."[19]

El perdón cierra la puerta de nuestra vida a Satanás. "A quienes ustedes perdonen, yo también lo perdono, lo he perdonado por consideración a ustedes en presencia de Cristo, para que Satanás no se aproveche de nosotros, pues no ignoramos sus artimañas."[20]

El perdón nos trae a la luz. "El que afirma que está en la luz, pero odia a su hermano, todavía está en la oscuridad. El que ama a su hermano permanece en la luz, y no hay nada en su vida que lo haga tropezar."[21]

El perdón refleja un corazón piadoso. "Los de corazón impío abrigan resentimiento".[22]

El perdón nos sincroniza con el Espíritu de Dios. "No agravien al Espíritu Santo de Dios... Abandonen toda amargura, ira, enojo, gritos y calumnias y toda forma de malicia."[23]

El perdón trae bendiciones

Cosas buenas vienen a nuestra vida cuando *elegimos* seguir los pasos de gracia de Jesús. Cuando elegimos seguirlo – lo que significa perdonar, aún cuando no lo sintamos.

Cuando perdonamos como hemos sido perdonados, demostramos la clase de amor y misericordia que cambia corazones y cambia el mundo. Podemos cambiar el rumbo de nuestra vida al soltar ese pesado saco de amargura que hemos estado agarrando fuertemente – *¡y ser bendecidos!* Y cuando extendemos el perdón totalmente, los restos de amargura que quedaban enterrados, se van. No se ve ni un grano de arena.

Cuando Corrie ten Boom estuvo cara a cara frente al guardia nazi de la prisión donde estuvo, ¿por qué no le podía extender ella su mano? Era un guijarro de amargura de dos toneladas el que halaba su brazo hacia abajo, inmovilizándola totalmente. Cuando debemos perdonar a alguien que nos ha hecho daño, podemos resistirnos – como Corrie se resistió. Pero por medio del poder del Espíritu Santo y el reconocimiento de nuestra redención, podemos ir y extender nuestra mano y decir:"Te perdono, hermano, ¡con todo mi corazón!"

CAPÍTULO 6

Removiendo las Duras Rocas del Resentimiento

Elegir El Perdón por Encima de los Sentimientos

CLARA BARTON, FUNDADORA DE la Cruz Roja Americana, era recordada por una amiga suya, porque un día alguien le ocasionó un malicioso incidente. Clara fue profundamente herida por ese acontecimiento. Pero cuando este hecho venía a su memoria ella actuaba como si fuera totalmente ajena al doloroso ataque que había recibido.

"¿No lo recuerdas", le preguntaba su amiga.

"No", respondía Clara haciendo una pausa. "Yo recuerdo claramente que lo he olvidado".

Cuando nos enfrentamos a estas luchas con el perdón, esta frase debe arder en nuestra mente: *Recuerdo claramente que lo he olvidado.*

¿Es el perdón siempre una decisión?

En el tiempo que llevo hablando sobre el perdón con ciertas personas a través de los años, he escuchado incontables historias de abuso, injusticia y traición. Las personas me describen las heridas profundas que atraviesan sus corazones. Las injusticias que ha sufrido abarcan todo un espectro de maldades que las personas somos capaces de ocasionarnos unos a otros.

Noche tras noche, escucho a personas con dolor: víctimas del abuso físico, verbal y emocional; sobrevivientes del abuso sexual; hombres y mujeres atravesando por el divorcio; devastadoras historias de infidelidad, pornografía, ruina económica; padres que enfrentan la pesadilla de un hijo muerto por un conductor ebrio; niños que revelan su dolor ante el divorcio de sus padres por alcoholismo o abandono; adolescentes que luchan con sus compañeros por el acoxo sexual, pandillas, drogas; familias enteras que agonizan por el abuso de sustancias, sexo, embarazos, abortos y relaciones rotas.

Aún los que parecen eventos menos traumáticos – palabras crueles por parte de un confidente, malversar fondos por parte de un empleado de absoluta confianza, rechazo por parte de un amigo en el cual confiábamos – causan un dolor que puede dañarnos por años. Es claro que ni una sola persona sobre la tierra es inmune al dolor profundo y a las heridas del corazón.

Sin embargo, eso no significa que tenemos que estar siempre acongojados y devastados por el comportamiento destructivo que provoca tanto dolor en nuestras vidas. Debemos recordarnos a nosotros mismos, por nuestro bien, y por el bien de otros, *que el perdón no es un sentimiento*. Efectivamente, el perdón es una decisión tomada conscientemente – un acto de la voluntad que no depende de nuestras emociones. Sin importar qué nos han hecho, y qué tan grave ha sido el daño ocasionado, debemos perdonar por esta ineludible y profunda verdad: *Dios nos ha perdonado mucho más.*

¿No estás profundamente agradecido de que Dios no está feliz acumulando un saco lleno de ofensas con tu nombre en él?

¿Qué papel juegan los sentimientos con el perdón?

¿Perdonar a otra persona significa ignorar, apartar o enterrar nuestro dolor? No, en absoluto. Decir que el perdón no es un sentimiento, de ninguna manera implica que las emociones que experimentamos son injustificadas, anti-naturales, o "no cristianas". De hecho, es cierto decir que el perdón siempre comienza con dolor. Después de todo, el perdón, como el de Cristo, no sería necesario si no hubiera agravio por parte de otra persona. El dolor nos envía un mensaje de que algo anda mal – *el dolor llama nuestra atención.*

Esa emoción de profundo dolor es lo que causa que las personas piensen...

- *Duele mucho. ¡No hay manera de que yo la pueda perdonar!*
- Siento mucha rabia. ¡Nunca lo podré olvidar!
- En mi mente quiero perdonar, pero en mi corazón hay mucha *rabia.*

Pensamientos como éstos son muy comunes – pensamientos sinceros de aquellos que han sido heridos. Pero en lo que estas personas han fallado ha sido en entender esto: *El dolor nunca debe interponerse en la vía del perdón.*

Dios no nos pide negar nuestro dolor. Él comprende la tristeza y el dolor. Él siente el peso de nuestros corazones – el desánimo, mucho más que nosotros mismos.

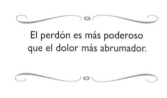

El perdón es más poderoso que el dolor más abrumador.

¿Qué más podemos concluir del hecho de que Dios amó al mundo de tal manera, que envió a Su único Hijo para morir en la cruz por nuestros pecados para que pudiéramos tener vida eterna?[1]

Al sacrificar Su vida, Jesús mostró de verdad que *el perdón es mucho más poderoso que el dolor más abrumador.* De hecho, el perdón es el único remedio real para nuestras rocas de resentimiento, venganza e ira – todas las emociones que nos demuelen después que hemos sido traicionados. Siguiendo el ejemplo de Jesús, elegimos sanidad en vez de odio, y nos rehusamos a arrastrar los abultados sacos de amargura. Y para obtener esta sanidad, debemos enfrentar el dolor, no negarlo, ni suprimirlo.

¿Cómo puedo decir que el perdón no es un sentimiento? Si nuestros sentimientos de dolor no deben ser ignorados, entonces ¿qué significa que el perdón es una decisión – un acto de la voluntad? Debemos comprender que nuestras emociones – por poderosas y persistentes que sean, - son la medida menos confiable que podemos tener de la verdad. Los sentimientos pueden ser miserablemente engañosos. Los sentimientos son influenciados por numerosas circunstancias tanto pasadas como presentes, que pueden no tener nada que ver con la realidad.

Estar *atentos* a nuestras emociones es una cosa, pero permitirles que nos *controlen* es otra, al menos por tres razones:

- Los sentimientos no son confiables para darnos un panorama claro acerca de lo que es verdadero en nuestras vidas.
- Los sentimientos fluctúan de un minuto a otro, con frecuencia sin ninguna razón.
- Los sentimientos son muy subjetivos como para poner nuestra fe en ellos.

La mayoría de nosotros hemos tenido la experiencia de irnos a la cama sintiéndonos enojados con alguien y al levantarnos somos completamente incapaces de recordar por qué estábamos enojados con esa persona. *¿Por qué estaba tan enojado?*, nos preguntamos. *No era una gran cosa.* Bueno, pues algunas veces los sentimientos variables nos llevan fuera del camino.

Imagínate que te encuentras con un amigo e intercambias sonrisas y saludos. Después pasa un segundo amigo sin decirte ni una sola palabra. Durante el resto del día te la pasas rumiando y cociendo a fuego lento, buscando el punto de ebullición emocional. *¡Qué antipática! ¿Qué será lo que le pasa?* Pero después piensas: *tal vez yo hice algo que la ofendió.* Más tarde, cuando te llenas de valor, la confrontas, y ella te dice: "¿Qué? ¿Esta mañana? Oh, lo siento –ni siquiera te vi. Estaba enfadada por una llamada telefónica".
!Ups! Falsa alarma.

Algo que es muy importante y esencial para una vida cristiana victoriosa, es que el perdón no puede depender de emociones cambiantes. El perdón es un acto decisivo de la voluntad –una lucha por controlar cómo pensamos. Cuando nos hacen daño, por supuesto que nos duele. Por supuesto que sentimos rabia. Por supuesto que queremos justicia. Estos sentimientos pueden aflorar naturalmente cuando alguien nos ofende.

¿Qué Tienen que Ver los Pensamientos con el Perdón?

Dios no nos pide que neguemos o enterremos nuestro dolor, Él nos pide que cambiemos la manèra en que pensamos con respecto a aquellos que nos han perjudicado. Esta es una buena noticia para cualquiera que está luchando por perdonar. Al sacrificar a Su Hijo como pago por nuestro pecado –aún cuando no lo merecíamos- Dios nos dio una *nueva manera de pensar* que tiene el poder de desatarnos de esas emociones que nos estrangulan en nuestro interior. El apóstol Pablo dice: "No se amolden al mundo actual, sino sean transformados mediante la renovación de su mente. Así podrán comprobar cuál es la voluntad de Dios, buena, agradable y perfecta." [2] Renovamos nuestra mente *aprendiendo a pensar como Dios.*

La antigua manera de pensar es como esta: cualquiera que quebranta la ley de Dios, tiene que ser castigado –punto. Por eso los fariseos se sentían justificados para apedrear a la mujer adúltera en frente de Jesús y exigir que la condenaran a muerte. El antiguo pensamiento acerca de la justicia era la base para sus *sentimientos* de indignación y ultraje.

Cuando Jesús murió por nosotros, sin embargo, nos introdujo en un nuevo camino para relacionarnos unos con otros. Si Dios perdonó nuestra deuda y nos libró de la sentencia de muerte, ¿qué derecho tenemos para demandar el pago de parte de otros? Si nos rehusamos a perdonar, ¡nos convertimos en mayores jueces que Dios mismo!

La Biblia dice: "Ya no hay ninguna condenación para los que están unidos a Cristo Jesús". [3] Si creemos esto, ¿Cómo podemos seguir condenándonos unos a otros, como si no hubiéramos visto, palpado y recibido la gracia por medio de Jesús? Perdonamos, no porque sentimos que es lo correcto, sino porque decidimos seguir el ejemplo de Jesús con tenacidad. Perdonamos porque elegimos hacerlo y lo hacemos en medio de nuestro dolor.

Empezamos, sistemáticamente, a quitar cada roca de rencor, cada piedra de despecho y cada guijarro de amargura del saco de nuestra alma.

Pero el cuadro está aún incompleto. Al pedirnos que perdonemos sin importar cómo nos sentimos, Dios nos ha asignado una intrépida tarea que requiere disciplina y auto sacrificio. Perdonar a los que nos ofenden no es algo natural en nosotros. Para hacerlo, debemos querer seguir a Dios más que a nuestros sentimientos –de venganza, cuyo lema es "estemos a la par".

Pero como es usual, a la vez que Dios nos da el desafío, Él también nos da una promesa: "Sabemos que Dios dispone todas las cosas para el bien de quienes lo aman, los que han sido llamados de acuerdo con su propósito."₄ Aquí encontramos una nueva manera de pensar acerca de nuestro dolor –una que nos deja libres para confiar en Dios completamente.

¿Qué hace Dios después de que Nosotros Perdonamos?

Simplemente considera esta impresionante promesa en la cual Dios nos asegura que aún cuando hayamos sufrido un terrible dolor, las cosas no siempre son lo que parecen. *El dolor siempre tiene un propósito*. Es un catalizador para "bien de aquellos... que han sido llamados de acuerdo con *Su propósito*".

Como ocurre con la fabricación de un diamante, tiempo, calor y presión, todo influye para producir una piedra de una magnífica belleza. Nuestro amoroso Dios, nos ve a cada una de nosotros como un diamante en bruto, permitiendo que estos tres mismos componentes obren en nuestra vida para transformarnos de un montón de carbón en una piedra deslumbrante. Un diamante ¡que brille para la gloria de Dios!

Dios se llama a Sí mismo El Purificador. Nuestro Purificador utiliza pruebas candentes y dificultades para eliminar las impurezas de nuestra vida –si, esa fea suciedad que sale a la superficie y permite un excelente desarrollo de nuestro carácter. Isaías 48:10 nos deja ver la relación que hay entre el dolor y la purificación: "¡Mira! Te he refinado, pero no como la plata; te he probado en el horno de la aflicción." [5]

Él purifica y limpia: "Será como fuego de fundidor… Se sentará como fundidor y purificador de plata; purificará a los levitas y los refinará como se refinan el oro y la plata." [6]

Del Dolor a la Fama: La Historia de José

Nadie expresa mejor el propósito del dolor que José, cuya historia se encuentra en el libro de Génesis. [7] Nadie más que él tendría el "derecho" de estar resentido. Recibió una traición tras otra, comenzando con el día en que sus hermanos lo arrojaron a un pozo vacío y lo vendieron después cual un animal, como esclavo a unos mercaderes que iban a Egipto. En un instante, pasó de estar en la cima del mundo, de ser el hijo favorito de su padre, al fondo de un pozo en medio del desierto.

Es cuando José comparte abiertamente sus sueños –en los cuales sus padres y sus hermanos se postran ante él- que estos se llenan de celos. Tal vez tenían temor de que un hermano menor usurpara la bendición que les correspondía a ellos por ser mayores. Tampoco ayudaba el hecho de que su padre lo prefiriera sobre sus otros hijos. En todo caso, él no merecía el trato que recibió de ellos.

Quién sabe cuánto tiempo luchó José por dejar su pasado y aceptar su nuevo estado de vida. En Egipto ahora no era sino un esclavo –propiedad de un hombre llamado Potifar. Pero la Biblia nos muestra que "el Señor estaba con él", y pronto se convirtió en el esclavo más confiable de la casa de Potifar. Como resultado de esto, lo pusieron a cargo de todas las cosas que le pertenecían a su amo.

Si la historia terminara ahí, diríamos que a José no le fue del todo mal. Ciertamente las cosas podrían haber sido peores. Pero desafortunadamente para José, la esposa de su amo se sintió sumamente atraída por el apuesto joven hebreo, y lo presionó para que se acostara con ella. Él rechazó su ofrecimiento repetidamente, no queriendo pecar contra Dios, ni pagar con esta traición a la confianza que le habían brindado. La esposa de su amo, al sentirse despreciada, acusa falsamente a José de tratar de seducirla. Potifar, el capitán del ejército del Faraón, inmediatamente lo envía a prisión.

Nuevamente la injusticia sigue a José en esta circunstancia. La vida en la prisión egipcia probablemente era parecida a aquél pozo en medio del desierto y a la esclavitud. Aunque ya había caído bastante bajo –de ser hijo favorito a esclavo- él aprende que aún puede caer más bajo: de esclavo a prisionero, con muy poca esperanza y misericordia. Las paredes de su celda podrían haber "escuchado" palabras llenas de rabia contra Dios (lo cual sería comprensible) y contra aquellos que lo habían tratado injustamente. Pero la Biblia dice: "Pero Jehová estaba con José y le extendió su misericordia y le dio gracia en los ojos del jefe de la cárcel."$_8$ Nuevamente a José le dan más confianza y una mayor responsabilidad.

Un día, José oye hablar a sus dos compañeros acerca de sus sueños, queriendo saber su significado. La experiencia pasada de interpretar sus sueños a sus hermanos, pudo haber hecho que en esta oportunidad mantuviera su boca cerrada. Pero por el contrario, les dice a sus compañeros prisioneros, al panadero y al copero de la corte del Faraón: "¿No son de Dios las interpretaciones?"$_9$ Después José les dice lo que sus sueños significan: el copero sería restaurado a su posición en la corte del Faraón y el panadero moriría ahorcado.

Entonces José le pide al copero, quien regresaría al palacio que le hable bien al Faraón sobre él. Probablemente este hombre prometió hacerlo en medio de la alegría que tenía al saber que en tres días saldría de la cárcel. Pero ya afuera, el ahora libre copero, le falló a José. Pasaron dos años antes de que él lo recordara.

Para este entonces, la traición y la decepción eran acontecimientos normales en la vida de José. Cada día José podía haber culpado a Dios por haber permitido que él fuera a la cárcel injustamente. Podía haber acusado a Dios por haberse burlado de él al haberle dado esta grandiosa oportunidad de que el Faraón oyera algo bueno acerca de él y después simplemente haberla dejado pasar. Él pudo haber sentido resentimiento hacia su compañero de prisión por no devolverle con amabilidad lo que había hecho a favor de él. ¿Cuántos meses pasaron antes de que José tuviera una nueva esperanza de ser puesto en libertad? Para la mayoría de nosotros, la esperanza sería reemplazada por la desesperación. Pero José simplemente mantuvo su confianza en Dios y permaneció viviendo en integridad. Dios tenía un plan y aunque José nunca se imaginó dónde iría a parar, era suficiente para él tener fe en su Dios y obedecerlo allí donde se encontraba.

Cuando le llegó el turno al Faraón de tener un par de sueños confusos –escenas que sus adivinos no pudieron descifrar- el copero finalmente recordó a José y le contó su historia al Faraón. José es llevado de la prisión al palacio donde escucha los sueños del Faraón y al interpretarlos le advierte que Dios va a enviar una gran hambruna durante siete años, después de siete años de gran abundancia. Le sugiere al Faraón que elija un hombre de confianza que se encargue de administrar el almacenamiento de la mayor cantidad posible de alimento durante los años de abundancia para que Egipto pueda sobrevivir a la escasez. Faraón elige a José para ese cargo y éste llega a convertirse en el gobernador de todo Egipto, subiendo mucho más alto que lo que había bajado durante los años de injusticia, traición y sufrimiento.

Si esta fuera una historia de Hollywood, la música iría en un "crescendo" y sería una común historia rosa con un final feliz. Pero el plan de Dios para mostrarnos que "todas las cosas ayudan a bien" es sólo el comienzo. La gran hambruna que Dios anticipa en el sueño del Faraón no se limita solamente a Egipto, ésta también ataca a la tierra de donde provenía José.

Los hermanos que lo habían traicionado horriblemente años atrás, ahora vienen a Egipto en busca de comida. Están en frente de José, con una necesidad desesperada. –*Sin reconocerlo*, se postran ante él y con toda humildad le piden permiso para comprar el grano que sería el alimento para su familia –la familia de José, de la cual había estado separado por tanto tiempo.

La mayoría de nosotros tendríamos la idea de retaliación y venganza y probablemente les diríamos que se devolvieran en sus camellos, lo más pronto posible…o algo peor. José sin embargo, es un hombre de Dios y comprende desde el principio que la venganza pertenece a Dios únicamente. Cuando llegó esta oportunidad de castigar a sus hermanos, él hizo lo que Dios nos pide a todos que hagamos: perdonar. Finalmente, al rebelarse a sus hermanos, él dice:

> *"Pero ahora por favor no se aflijan más ni se reprochen el haberme vendido, pues en realidad fue Dios quien me mandó delante de ustedes para salvar vidas. Desde hace dos años la región está sufriendo de hambre y todavía faltan cinco años más en que no habrá siembras ni cosechas. Por eso Dios me envió delante de ustedes: para salvarles la vida de manera extraordinaria y de ese modo asegurarles descendencia sobre la tierra. Fue Dios quien me envió aquí y no ustedes. Él me ha puesto como asesor del Faraón y administrador de su casa y como gobernador de todo Egipto."* [10]

Cuán asombroso es el hecho de que después de todo lo que José había pasado, su primer pensamiento es para *sus hermanos* y no para él. El fácilmente podría haber dicho: "Ahora escuchen, sólo porque parece que las cosas han salido bien y ahora tengo una alta posición en el palacio, no piensen que me he olvidado de cuánto dolor me causó verlos irse por el desierto y dejarme en manos de ladrones y negociantes de esclavos. ¡Ustedes no tienen idea de cuánto dolor me causaron! ¡Espero que se pudran en la cárcel!"

Pero esto no fue lo que él dijo. Sus palabras expresan un sentimiento opuesto: "Por favor no se aflijan ni se reprochen el haberme vendido…" En esta afirmación vemos que José hacía mucho tiempo había perdonado a sus hermanos y los había librado de la deuda que él tenía contra ellos. Esa deuda había sido cancelada completamente, de manera que José estaba preocupado de que sus hermanos se condenaran a sí mismos innecesariamente.

¿Qué era lo Que José Sabía para Poder Perdonar?

¿Podemos aprender algo sobre la historia de José en relación con nuestra propia lucha por perdonar, o era él un hombre extraordinariamente perdonador? Yo creo que la respuesta es esta: durante los muchos años que fue esclavo y prisionero, José aprendió a confiar en Dios y a permitir que Él guiara sus pensamientos. Aprendió a andar por fe, no permitiendo que las emociones lo cegaran. Pudo hacer esto porque en lo profundo de su corazón él conocía tres poderosas verdades:

1.- José sabía que Dios es soberano

José aceptó que su vida le pertenece a Dios y que nada le puede ocurrir aparte de Su voluntad. Cuando creemos esto verdaderamente no puede existir una injusticia real.

Moldear....no Destrozar

La *malaquita* es una piedra semipreciosa que tiene el aspecto de hermosas cintas de seda de variados matices de verde aterciopelado. Por ser propensa a romperse bajo presión, esta valiosa piedra fascina a aquellos que a la vez les inquieta su fragilidad.

De esta manera, la presión de las ofensas dolorosas puede hacerte sentir emocionalmente frágil, como si estuvieras a punto de destrozarte; y esas ofensas pueden aumentar el calor de tu resentimiento. De la misma manera que el fuego puede reducir la malaquita a un puñado de cobre –perder su belleza, disminuir su valor- el intenso calor del resentimiento puede dañar tus relaciones con los demás y destruir tu paz.

Pero cuando le entregas tus rocas de resentimiento al Maestro Artesano, Èl transformará cada dificultad en una preciosa oportunidad para ser más como Él y para mostrar Su corazón a un mundo sin esperanza. Sin lugar a equivocación, tu dolor tiene un propósito… siempre para moldearte, no para destrozarte.

"No se aflijan más y no se reprochen haberme vendido", dijo José, en realidad "fue Dios quien me mandó". José dice a sus hermanos que el plan de Dios

> Podemos no saber por qué Dios nos envía a un lugar de dolor, pero sí podemos saber que Él siempre tiene un propósito.

Cuando aceptamos totalmente que Dios es soberano, sin importar dónde estamos o qué nos ocurra a lo largo del camino, tendremos una actitud de perdón hacia aquellos que nos causan dolor. Los veremos como instrumentos de Dios para cumplir Sus propósitos.

2.- José Sabía que Dentro de la Voluntad de Dios el Sufrimiento tiene un Propósito

"Para preservación de vida me envió Dios".[11] dijo José a sus hermanos. En ese momento, todo el dolor del abandono y la traición que había sentido en los años de cautiverio, no eran nada en comparación con el gozo de ver el plan de Dios de salvar a su familia frente a sus ojos. "Dios me envió delante de vosotros para preservaros posteridad sobre la tierra y para darles vida por medio de la liberación. Así pues, no me enviaron ustedes sino Dios."[12]

Cuando decidimos creer que "todas las cosas nos ayudan a bien", tendremos una actitud de perdón ya que no veremos nuestro sufrimiento como algo inútil. No tenemos que saber siempre por qué Dios nos manda al lugar de adversidad (física o emocional), pero podemos confiar en que Él siempre tiene un propósito. Y Su propósito constantemente es hacer lo bueno. Pero dentro de este propósito o plan, nunca nos llama a ninguno de nosotros a agarrar un saco y acumular en él rocas, piedras y guijarros. La Biblia describe el proceso de purificación por parte de nuestro Purificador, de esta manera: "Quita la escoria de la plata y de allí saldrá material para el orfebre."[13]

3.- José Sabía que Dios se Deleita en Convertir el Mal en Bien

La historia de José es un emocionante viaje que tiene más giros y vueltas que la más fascinante de todas las novelas –pero lo mejor está por venir. Resulta ser que después de que José tranquiliza a sus hermanos en cuanto a que él no guarda ningún rencor contra ellos, él trae a toda su familia a Egipto para proveerles todo lo que necesitan. Algún tiempo después de que se instalan en su nueva tierra, el muy amado padre de José, Jacob, muere.

Después de todo lo que José ha hecho por sus hermanos, ellos siguen dudando si el perdón de José es genuino. "Tal vez José nos guarde rencor y ahora quiera vengarse de todo el mal que le hicimos."$_{14}$ Entonces le envían un mensaje a través de sus sirvientes diciendo: "Antes de morir tu padre dejó estas instrucciones."$_{15}$ En otras palabras, tu padre, a quien tanto amaste, realmente quería que tú nos perdonaras y que no nos hicieras daño.

Entonces los hermanos vinieron a José y se postraron ante él diciendo: "Somos tus esclavos." José les responde con esta asombrosa afirmación: "Ustedes pensaron mal contra mí, más Dios lo encaminó a bien, para hacer lo que vemos hoy, para mantener en vida a mucho pueblo."$_{16}$ Esta firme creencia sin duda fue la que lo sostuvo durante todos esos terribles años de injusticia.

Esas palabras y esa verdad también pueden sustentarte hoy a ti. En medio del dolor, probablemente no puedas ver lo bueno, sólo lo malo. Pero Dios está obrando, dirigiendo los diferentes eventos de tu vida para convertir una situación desoladora en una muy hermosa. El mismo Dios que intervino en la vida de José, está interviniendo en la tuya, aún cuando tú no lo percibas ahora mismo. Él está disponiendo, coordinando y sincronizando detalles en tu vida de manera que el mal sea transformado en bien, y Él usará ese calor y presión a través del tiempo ¡para hacer que brilles como un diamante!

Dios lo Hace para Bien

¿Cómo podemos repetir la frase de Clara Barton y decir: "Yo claramente recuerdo que lo he olvidado"? Tenemos estas dos frases de la Biblia que nos capacitan para ver más allá de cualquier ofensa y ver una bendición en ella:

- "Ustedes pensaron hacerme mal, pero Dios transformó ese mal en bien."

- "Todas las cosas ayudan a bien, a los que conforme a Su propósito son llamados."

Cuando nos aferramos firmemente a estas verdades podemos elegir mostrar amor en lugar de odio... dar gracia en lugar de ley... extender el perdón en lugar de guardar rencor. Podemos elegir reconocer la soberanía de Dios sobre nuestras vidas y creer en Su gozo genuino al convertir el mal en bien. Podemos elegir pensar como Dios piensa; podemos perdonar como Él nos perdona.

CAPÍTULO 7

Cortar el
Fondo del Saco

Pensamientos de Resentimiento Liberados,
No Repasados

CUANDO MARSHA LLAMÓ a Hope in the Night (Esperanza en la Noche), rápidamente su voz reveló que estaba desesperada y angustiada.

A medida que contaba su historia, comprendí la razón de la intensidad de su enojo y dolor. Su hija de 12 años había sido violada sexualmente. Misty había sido irrespetada repetidamente desde hacía varios meses –en su propio hogar. Y peor aún, el culpable de un crimen tan horrendo era el hermano menor de Marsha que estaba viviendo con ella y su familia mientras estudiaba en la universidad.

Cuando hizo la llamada ya había pasado un año desde que Marsha supo lo del abuso. "Durante los primeros meses estuve como adormecida. Me sentía como un robot vacío a medida que atendíamos el laberinto de entrevistas con la policía… declaraciones juramentadas… consejeros para mi hija. Yo no quería sentir nada pues me sentía caer bajo el peso de todo esto."

¿Quién la podía culpar? Marsha estaba desolada mental, emocional y espiritualmente. El suyo era un pesado saco con una carga muy grande –carga de un tamaño tan grande que ninguna madre es capaz de soportar. Ella luchó con las heridas de su hija quien fue víctima de un terrible crimen. Luchó con su propia culpa por haber "fallado" al no ver las señales de que algo andaba mal. Ella resistió la terrible

CÓMO PERDONAR... CUANDO NO LO SIENTES

indignación de saber que su propio hermano era el traidor. Luchó con la tóxica combinación de justicia y culpa –justicia en favor de su hija y culpa por hacer encarcelar a su hermano. Oh, si...y ella estaba a punto de estallar de cólera con los miembros de la familia que se pusieron del "lado" de su hermano –aquellos que se rehusaron a admitir su culpabilidad.

Juntas todas estas piedras de exasperación estiraban su saco emocional por encima de su capacidad.

Marsha abrió su corazón, haciendo pausas frecuentemente, para poder seguir narrando su historia y para poder contener toda esa mezcla de emociones extremas que amenazaban con aplastarla.

"Sólo estoy pendiendo de un hilo y el único hilo delgado que evita que caiga en el abismo es mi fe en Dios. Por supuesto que estoy furiosa de que Él haya permitido que esto pasara, pero yo creo por fe-que Él ve lo que nos está pasando."

Después de que hablamos por un largo rato y oramos juntas, la animé a llamarme en cualquier momento en que necesitara apoyo.

Algunos meses más tarde, Marsha llamó de nuevo para reportar los acontecimientos. Su hija estaba mejorando en una terapia. Su familia había dado pasos hacia la reconciliación. Su hermano había sido sentenciado a prisión pero también estaba participando en un programa como parte de su tratamiento. Todos habían pasado la tormenta –por lo menos la peor tormenta- y lentamente iban recobrando una paz relativa. Estaban maltratados, pero no irreparablemente destrozados.

Para todos era así, excepto para Marsha. Para ella, el proceso de sanidad había sido como cuando pasa la anestesia después de una cirugía mayor.

"Todo el dolor volvía con toda su fuerza cuando menos lo esperaba." Ella hablaba en un tono desganado. "He tratado de perdonarlo. Yo sé que eso es lo que Dios quiere que yo haga, pero pienso que no puedo hacerlo. Pienso que nunca seré capaz de hacerlo. No puedo sacar de mi mente aquellas imágenes."

Le aseguré a Marsha que todos empezamos en el mismo lugar en la vía hacia el perdón: con *un profundo dolor*. Todos pensamos que la travesía es muy larga, una montaña muy alta, con un morral muy grande. Pero yo le recordé que ninguno de nosotros jamás enfrenta solo la tarea del perdón. Dios no nos manda que perdonemos y después nos deja a nosotros luchando para tratar de encontrar fortaleza. Su gracia –en darnos la fortaleza que no poseemos- es un regalo siempre presente que nos ayuda en el camino. Como dice la Biblia: "El multiplica las fuerzas al que no tiene ninguna"[1]

Luego le pregunté a Marsha sobre su último comentario relacionado con la incapacidad de borrar de su mente las imágenes.

"No importa lo que haga, sin proponérmelo, mi mente está inundada de escenas de lo que debió haber pasado mi hija. Lo veo en vívido detalle. Con mucha cólera, no puedo evitar imaginarme apartándolo de ella. Las imágenes me persiguen todo el tiempo."

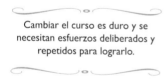

Cambiar el curso es duro y se necesitan esfuerzos deliberados y repetidos para lograrlo.

Marsha tenía un bloqueo –una enorme montaña de rocas bloqueaban su habilidad para perdonar a su hermano- un bloque construido *por sus propios pensamientos*.

Amablemente le señalé sus expresiones de impotencia y pasividad. Lo mostraba en sus palabras: "No importa lo que haga… No puedo evitar imaginarme… No lo puedo sacar de mi mente."

Marsha creía equivocadamente que su dolor y su ira bloqueaban su capacidad para perdonar. En lugar de esto, sus pensamientos sin control eran las rocas que seguía acumulando, lo cual producía una avalancha de pensamientos negativos que ella desesperadamente tenía que detener.

Ya que el perdón no es un sentimiento sino una decisión de la voluntad, aprender a perdonar no es asunto de hacer lo que se *siente* bien. El perdón es una decisión, un asunto de tenacidad en la decisión de seguir el ejemplo del Señor – y sus mandamientos – para soltar nuestros resentimientos hacia aquellos que nos han hecho daño. Para hacer eso, debemos cambiar nuestra manera de pensar.

Yo sé la objeción; "Seguro, eso suena bien… ¡pero es mucho más fácil decirlo que hacerlo!" Y así es – no es fácil. *Lo que pensamos* acerca del perdón está profundamente arraigado en nosotros. Nuestros pensamientos son como vagones cubiertos que han pasado vez tras vez por el mismo camino, a través de nuestra mente, dejando profundas marcas. Cambiar el curso es duro y se necesitan esfuerzos deliberados y repetidos para lograrlo.

¿Eres el dueño de tu mente?

Los pensamientos tienen el grandioso poder de moldear nuestras vidas. Ralph Waldo Emerson acertadamente hizo esta observación: "Durante todo el día el hombre es lo que piensa." Quizás él estaba haciendo eco al proverbio que dice: "Porque cual es su pensamiento en su corazón, tal es él."$_2$

Algunos pensamientos son constructivos y sirven como catalizador para el cambio. Otros destructivos y deterioran nuestra esperanza de sanar. Quizás el pensamiento más irónico es que ¡nosotros no tenemos control sobre nuestros pensamientos!

Es esto lo que tuvo a Marsha cautiva e hizo que el perdonar a su hermano fuera imposible. Cuando conversamos la reté a que viera que ella no estaba a merced de las imágenes que la perseguían como horribles espantos. Ella era la dueña de su mente. Ella poseía el poder para recibir o evitar cualquier pensamiento que se asomara a la puerta.

Nuestra comprensión acerca del perdón debe comenzar con esta verdad: Por *diseño de Dios, tú eres el dueño de tu mente.*

Cuando Una Enorme Pena Destruye Tu Vida

Los *meteoritos* son partículas de escombros del sistema solar que se han calentado por fricción cuando entran a la atmósfera de la tierra antes de que hayan hecho impacto con la superficie terrestre. Pueden variar de tamaño, desde un grano de arena hasta una gran roca. Cada día más de cuatro billones de meteoritos caen a la tierra, la mayoría de ellos de un tamaño minúsculo.

Diariamente nos vemos enfrentados a pruebas y problemas, pero en raras ocasiones una crisis severa llega a nuestra vida sin saber de dónde –una crisis que parece una catástrofe y sentimos como si un inmenso meteorito hubiera caído sobre nosotros. Fácilmente podemos cuestionar al Maestro Creador:"¿Por qué permites este terrible dolor? ¿Por qué quitaste Tu mano protectora?". Usualmente nuestra primera respuesta frente a un gran dolor en nuestras vidas es cuestionar a Dios.

La fe puede volverse añicos y colapsar bajo esa intensa presión…o crecer fuerte y segura cuando decides poner tu confianza en el plan de Dios. Necesitas saber que Él usará esta traumática experiencia para tu bien. Y necesitas poner este destructivo meteorito ante el trono de Dios, junto con todas tus preguntas e inmenso dolor. Sólo entonces podrás experimentar Su inmensa paz; sólo entonces podrás sentir Su inmenso cuidado.

Este no es un concepto extraño. Ejercitamos el dominio sobre nuestra mente todo el tiempo. Por ejemplo, tenemos un proyecto con un plazo definido. Mientras miramos por la ventana nuestros pensamientos vuelan de un lado a otro. De repente volvemos a centrar la atención y ordenamos los pensamientos para regresar a la realidad –tal como los soldados en formación militar.

Por supuesto, que después de sufrir una seria ofensa, nuestros pensamientos son mucho más intensos de los comunes que tenemos a diario, pero el principio sigue siendo el mismo. *Somos responsables de lo que pensamos.* Esto es lo que el apóstol Pablo nos dice:"Llevamos cautivo todo pensamiento para que se someta a Cristo."[3] Sí *puede* lograrse. ¡Tú eres el dueño de tu mente!

¿Cómo Pueden Atraparte tus Hábitos Mentales?

La historia de Marsha nos advierte sobre algunas señales que nos muestran cómo los pensamientos negativos pueden controlarnos. Los pensamientos negativos son una respuesta natural al ser heridos por alguien.

Con mucha frecuencia ni siquiera nos damos cuenta de que nuestras mentes giran en el negativismo sin una decisión consiente. Darnos cuenta de nuestros pensamientos habituales es el primer paso hacia tomar el control sobre ellos.

Continuamente revives la ofensa

Cuando hemos sido lastimados por alguien, repasamos el evento en nuestra mente una y otra vez... en cámara lenta y alta definición. Estamos hipnotizados por las escenas que nos causan dolor y no podemos ver nada más. Tenemos un video que muestra las escenas vez tras vez.

Pensamos en lo que nos ocurrió con todo detalle, inspeccionamos cada piedra de rivalidad, escudriñamos cada roca de crueldad y aún investigamos cada piedrecita de apatía. No es de sorprender que nos parezca tan difícil perdonar cuando nuestras heridas permanecen tan frescas en la mente.

Te imaginas vengándote

> La venganza satisface nuestro deseo de justicia temporalmente, pero no deja espacio para una anidad *permanente*.

Algunas veces pensamos en diferentes escenarios basados en lo que *desearíamos* que hubiera ocurrido. ¡Si tan solo yo hubiera dicho...! Si yo hubiera hecho...! Pronto empezamos a tramar formas de volver a aquellos que nos hirieron. Las posibilidades son interminables cuando exploramos el oscuro placer de inventar cómo llevar a cabo nuestra venganza. Aunque sabemos que no debemos hacerlo, nos imaginamos ocasionándole un dolor recíproco a nuestro ofensor.

En esencia, nos vemos, ansiosos por alcanzar nuestro saco emocional, agarrando con nuestros dedos la más dura roca que encontremos y una vez recuperada, con sentimiento de venganza la lanzamos.

Un equipo de psicólogos que estudiaron la venganza reportó sus hallazgos:

> En algún lugar en lo profundo de nuestros corazones, tomamos algo de afuera para alimentar nuestras fantasías de venganza. Estas nos guardan de ser heridos nuevamente por la misma persona y de la misma manera. Nos inspiran rabia, lo que nos hace sentir más poderosos. Nos dan la ilusión de subir nuestra autoestima porque en realidad ponemos por debajo de nosotros la estima de la otra persona. [4]

La venganza satisface nuestro deseo de justicia temporalmente, pero no deja espacio para una sanidad permanente.

Quisiera que le ocurrieran cosas malas a su ofensor

Aunque las cosas no lleguen hasta el punto de tomar revancha personalmente, quisiéramos que nuestro ofensor sufriera de alguna manera. (Quizás que alguien más ¡le lanzara piedras!) Nuestro rencoroso corazón se molesta con cada logro y disfruta cada fracaso que experimenta nuestro ofensor.

Como yo me resentía con el éxito de mi padre y anhelaba ardientemente que tuviera una caída para que sintiera humillación, no se imaginan el asombro que sentí cuando leí esta escritura: "No te alegres cuando caiga tu enemigo; ni se regocije tu corazón ante su desgracia." [5] Sin duda este proverbio condenaba mis propios pensamientos oscuros y rencorosos.

Marsha deseaba perdonar, ¿pero cómo podía deshacerse de algo tan pesado como la ofensa de su hermano? Sentía que era imposible desalojar semejante roca tan grande de su mente.

Estaba convencida que sus pensamientos eran inamovibles –inclusive inevitables- y se sentía sin poder para evitar las persistentes imágenes y reemplazarlas con pensamientos que pudieran conducirla al perdón.

Como mucha gente, ella estaba dispuesta a hacerlo pero carecía de las herramientas que le ayudaran a dar los primeros pasos.

¿Cómo Re-entrenamos a Nuestro Cerebro para el Perdón?

"Si nunca en su vida ha dicho la Oración del Señor –algunas veces llamada "la Oración Modelo"- por favor levante la mano". Con frecuencia acudo a esta solicitud cuando enseño sobre el perdón y aún se puede ver alguna mano levantada.

Si está entre aquellos que alguna vez han orado, "Perdónanos nuestras deudas, como también nosotros hemos perdonado a nuestros deudores"6 Considere esto: ¿Realmente quiso decir esto? Piénselo. Si realmente quiso decir estas palabras, entonces le está pidiendo a Dios que lo perdone exactamente de la misma manera que Ud. ha perdonado a aquellos que le han hecho mal. ¿Es eso lo que realmente desea? Si Ud. es como todo el mundo, su primer pensamiento, en esencia, es ¡*Dios prohíbe*!

Cuando hemos sido traicionados, la idea de dar la misma gracia que Dios nos ha dado va más allá de nuestra comprensión. Afortunadamente no necesitamos "lograrlo" de un solo paso o en un solo día. Cuando la herida es profunda, cuando la ofensa es grande, cuando una roca es enorme, el *perdón total* puede ser solamente un proceso. El autor danés Isak Dinesen escribió: "Cuando tengas una tarea enorme y difícil, casi que imposible, si trabajas poco a poco, cada día una pequeña parte, de repente estará terminada casi sin darte cuenta."

Igualmente, llevar cautivos cada uno de nuestros pensamientos "para que obedezcan a Cristo" no es una carrera fácil si no una maratón metódica. Las siguientes siete estrategias nos ayudarán a ganar la carrera paso a paso.

1.- Reconoce tus pensamientos y luego entrégaselos a Dios

Si un atracador te asalta, te roba tu dinero y te quiebra las costillas, Dios no te pediría que nunca vuelvas a pensar en eso. Es imposible.

Igualmente es imposible no pensar en una roca emocional que te ha lastimado, robado tu seguridad y roto tu corazón.

Cuando algunas rocas de las que lastiman, han dado en tu corazón, la clave del éxito está no en olvidar tus pensamientos sino en evitar darles demasiada importancia. Con el paso de los años he aprendido a reconocer tanto el hecho como el sentimiento –si un maleante me asaltó y si, me duele y luego digo: "Señor, en Tus manos pongo la ofensa y al ofensor." Algunas veces a conciencia me detengo y digo: "Este pensamiento no hace parte de mi mente pero está en Tus manos. He aquí, Señor, es Tuyo."

2.- Medita sobre la Palabra del Señor y habla en voz alta

Algunas veces estos pensamientos negativos y latosos no se quieren alejar; por lo tanto esta clase de *"golpe"* debe acompañarse de pensamientos positivos de consuelo. El rechazar los pensamientos indeseados es sólo el comienzo –y no de mucho beneficio si no los reemplazamos con alguna otra cosa. Una ilustración muy gráfica del poder de la Palabra de Dios que literalmente destruye nuestras rocas de resentimiento se encuentra en Jeremías 23:29, donde el Señor mismo dice: "¿No es acaso mi palabra…como martillo que pulveriza la roca?"

Con tal poder disponible para nosotros, ¡no necesitamos que nos derroten los pensamientos destructivos! ¿Qué reemplazo puede ser mejor que los propios pensamientos de Dios, establecidos en Su Palabra? El salmo 1:1-2 dice: "Dichoso el hombre que no sigue el consejo de los malvados ni se detiene en la senda de los pecadores ni cultiva la amistad de los blasfemos sino a en la ley del SEÑOR se deleita y día y noche medita en ella." El meditar en la Palabra de Dios es una manera poderosa de llenar aquellos senderos destructivos y trazar un nuevo camino que conduzca al perdón.

Cuando Marsha caía en el hábito de revivir mentalmente los crímenes contra su hija, se sentía vulnerable, sola e indefensa. Aunque necesitaba reconocer esos pensamientos y entregárselos a Dios, ella también necesitaba reemplazarlos con una visión del poder de

Dios y su cuidado protector. Para hacer esto, ella necesitaba de la Biblia para comenzar a asimilar las verdades de Dios. La mayoría de la gente no se da cuenta que el poder de la Palabra de Dios es la parte más importante en la sanación. Dios no pone esta verdad debajo de una roca, escondiéndola de nosotros. El salmo 107:20 proclama: "Envió Su *palabra* para *sanarlos*".

En conclusión: ¡La Palabra de Dios sana las heridas de nuestros corazones!

Por años me he sumergido en un corto versículo que se halla en el salmo más largo, el cual es el capítulo más largo de la Biblia. El salmo 119:50 dice: "Este es mi consuelo en medio del dolor: Que Tu promesa me da vida!"

De nuevo, ¡la Palabra de Dios sana nuestros corazones!

Marsha pudo leer estas palabras en voz alta y sentir que la paz de Dios comenzaba a calmar las heridas. Debido a que los hábitos de toda la vida son difíciles de quitar fácilmente, Marsha tuvo que rechazar sus pensamientos dañinos y reemplazarlos por pensamientos restauradores acerca de Dios –no solamente una vez sino que tuvo que repetir a propósito el consuelo de la Palabra de Dios una y otra vez. Con estas repeticiones, Marsha se dio cuenta que su saco emocional de amargura estaba más liviano.

> Al dar gracias y alabar a Dios, reemplazas lo negativo con lo positivo.

3.- Utiliza tus herramientas poderosas: dar gracias y alabar

En su libro *Nuestro Padre Celestial*, el Dr. Robert Frost escribe: "No hay nada más precioso para Dios que nuestra alabanza durante la aflicción... De lo que no nos protege, nos perfecciona. Hay una bendición especial para aquellos que no ofenden a Dios durante la adversidad."[7]

¿Qué puede evitar que reniegues contra Dios por lo que Él permite en tu vida? Cada día nadas en un océano lleno de regalos de Dios —estos son las bendiciones de Dios. Comienza un nuevo hábito de empezar las mañanas expresando tu gratitud por los muchos regalos de Dios: tu habilidad para pensar, para moverte, para sentir, etc. O agradécele por las personas que amas o por algunas situaciones que te placen.

Al agradecer y alabar a Dios, reemplazas lo negativo con lo positivo. Con papel y lápiz a la mano, haz esta tarea: La primera mañana anota cinco regalos, la segunda mañana añade otros cuatro a tu lista, la tercera mañana añades tres, la cuarta otros dos y después añades un regalo cada día por el tiempo que lo consideres necesario. Agradece a Dios por cada regalo y continúa añadiendo a tu lista cada día al menos por un mes. Este proyecto de oración es una forma poderosa de tener bajo control tus pensamientos.[8]

Cada vez que se repite una Escritura en la Biblia, ese versículo es de gran significado. Si el pasaje se menciona por tercera vez, ese versículo tiene un significado *enorme*. Así es la repetición de este versículo en los Salmos: "¿Por qué voy a inquietarme?, ¿Por qué me voy a angustiar? En Dios pondré mi esperanza y todavía lo alabaré. ¡Él es mi Salvador y mi Dios!"[9] Aunque tu corazón esté deprimido, alaba a Dios que Él aún es tu Salvador.

Es imposible que te consideres permanentemente como una víctima cuando practicas la gratitud hacia Dios por bendiciones específicas en tu vida. Cuando se apilan bendiciones sobre bendiciones se derriban las capas de resentimiento que se han acumulado en tu mente.

También es imposible dar demasiada importancia a la justicia de "ojo por ojo" (llamada venganza) mientras se alaba a Dios por Su infinito amor y misericordia. Al poner tus pensamientos en el agradecimiento y la alabanza, recuerdas lo mucho que has recibido —y sido perdonado. Tendrás energías mientras piensas en deshacerte de todos esos escombros rencorosos en tu saco emocional.

4.- Ora por tus enemigos

Nunca olvidaré a una mujer que había orado para recibir a Jesús como su Señor y Salvador –una mujer divorciada cuyo marido continuamente había sido infiel en su matrimonio. Como su dolor todavía estaba fresco, le sugerí que orara por él para que viera su necesidad del Salvador y orara por su salvación.

Con asombro, ella protestó: "Oh, no – ¡no quiero que vaya al cielo conmigo!

Ahora *yo* estaba asombrada. Oré así: *Ayúdame, Señor.* Hice una pausa y luego le expliqué: "Pero él no sería el mismo hombre" Ella miraba desconcertada. "Si genuinamente recibió a Jesús como su Señor y Salvador –y entregó a Cristo el control de su vida- él no será el mismo hombre. Tiene que haber cambiado."Lentamente comenzó a mover su cabeza. Así que continué: la Biblia dice: "De modo que si alguno está en Cristo, nueva criatura es; las cosas viejas pasaron; he aquí todas son hechas nuevas."[10] Como un auténtico cristiano, Cristo vivirá dentro de él. Por lo tanto, él tendrá que cambiar. No volverá a tener su antigua naturaleza pecadora; en lugar de eso tendrá la naturaleza de Cristo dentro de él."

"Oh, ya veo" exclamó. "Entonces definitivamente oraré por él."

Cuando es difícil orar por aquellos que te persiguen, ten en cuenta que tus enemigos no están sanos espiritualmente, o si no ellos no te hubieran lastimado. Ellos también están heridos. Ellos también están arrastrando pesados sacos de heridas emocionales y necesitan de la sanidad de Dios.

El orar por otros te ayuda a verlos como Dios los ve. Prepara el camino para perdonar como Dios perdona. El orar por tus enemigos te permite más fácilmente descolgarlos de tu gancho y colocarlos en el gancho de Dios.

5.- Pon en práctica el perdonar las equivocaciones diarias

Cuando luchas por perdonar a alguien por una ofensa del tamaño de un peñasco, debes preguntarte: ¿Cómo manejo las ofensas pequeñas –aquellas del tamaño de un guijarro y que se incrustan insidiosamente en el fondo de mi saco emocional? Nuestra vida diaria está llena de afrentas rutinarias: Un miembro de la familia que es demasiado petulante, un compañero de trabajo que se pasa de la raya, un amigo quisquilloso, un jefe insoportable, un vecino irritante, un extraño que es grosero.

Las ofensas mundanas son oportunidades para perdonar, tal como lo son, con toda seguridad, las más grandes. Si no perdonamos las pequeñeces, es probable que no perdonemos las cosas grandes. Así mismo, si no perdonamos las cosas grandes es probable que no perdonemos las pequeñeces.

El perdón de Dios cubre cada ofensa, no importa el tamaño. ¿Por qué? Porque su perdón no tiene nada que ver con la ofensa, si no con *Él*. Así como Dios ama porque es un Dios de amor, Él perdona porque es un Dios perdonador.

Cuando Jesús nos enseñó a orar: "Perdónanos nuestras deudas, así como también nosotros perdonamos a nuestros deudores"[11] Él quiso decir que era una oración *diaria*. Quiso decir que el perdón fuera tu forma de vida –exactamente como la de Él- y no reservado para ocasiones especiales. Esto significa que debes vaciar tus costales y sacudirlos hasta que salga el último peñasco, roca, piedra, guijarro y toda la gravilla que aún permanece dentro de ellos.

Pero esto no es todo. Para ser totalmente libre –para disfrutar siempre de la libertad del perdón –hay una cosa más que debes hacer: *Cortar el fondo de tu saco.*

Esto evitará que a la primera oportunidad se pueda volver a acumular cualquier roca, piedra o guijarro.

6.- *Rodéate de personas comprensivas que te digan la verdad*

Cuando hemos sido lastimados, naturalmente buscamos personas que nos puedan ofrecer apoyo y comprensión. Hasta ahí está bien. Pero este apoyo y comprensión pueden fácilmente convertirse en una inflamación posterior de la herida. La medicina de un oído presto a escuchar y con la idea de apresurar la curación puede convertirse en un recordatorio de eventos dolorosos y la magulladura de nuestros ofensores. Esta "medicina" sólo mantiene la herida fresca.

Si te encuentras tratando de telefonear a una persona que te hace mantener la herida abierta para no perdonar, ¡*alto*! En lugar de esto, llama a un amigo que puede que te lastime en ese momento porque no te dice lo que quieres oír, pero que te alentará para perdonar de manera que tu corazón pueda sanar. El libro de Proverbios habla de esta clase de amigo: "Fieles son las heridas del que ama" [12]

Lo que necesitamos son amigos que nos ayuden a revisar nuestros pensamientos –amigos que nos reten a evitar el camino del no perdón, amigos que nos aconsejen a perdonar aunque no lo deseemos.

7.- Convierte las ideas en acciones

El apóstol Santiago hizo esta pregunta: "¿De qué le sirve a uno...alegar que tiene fe, si no tiene obras?" [13] También podemos preguntar; ¿Qué tan bueno es el perdón si no hay evidencia de éste? Fácilmente puedes *decir* que has perdonado a alguien, pero la prueba consiste en qué estás dispuesto a *hacer* al respecto. Una vez hayas "reacondicionado tu mente" para elegir el perdón –aún cuando no lo desees- puedes "sellar" tu decisión ofreciéndole un regalo al ofensor. El consejero Robert Enright lo explica así:

> Este punto en el proceso del perdón puede sorprender a más de uno. ¿Por qué debemos darle un obsequio al ofensor? De todos modos somos la parte afectada. El ofensor nos debe, nosotros no debemos nada. Pero al ofrecer un obsequio a quien nos ha lastimado, debilitamos el poder que esa persona tiene sobre nosotros. [14]

Debes estar pensando: *¿Qué? ¿Quieres que brinde un obsequio al culpable? Perdonar una deuda es una cosa, pero ¡dar un regalo es otra!* Pero esto es precisamente lo que Jesús nos dice: "Si alguien te pone pleito para quitarte la capa, déjale también la camisa. Si alguien te obliga a llevarle la carga un kilómetro, llévasela dos." [15]

El propósito de entregar tanto tu camisa como tu capa –el propósito de andar una segunda milla después de la primera- no *es recompensar* al culpable. Para nada. Es que adoptes el corazón y la mente de Jesús. El propósito para todos nosotros es permitir que un Dios perdonador nos convierta en personas que perdonan.

El Perdón es Una Forma de Vida

Pasó un año antes de volver a oír a Marsha. Muchas veces pensé en su terrible angustia y fijación sobre su propio hermano abusando de su adorada hija. Pero ahora pude notar un tono diferente en su voz. "Ha pasado mucho tiempo desde la última vez que hablamos. Aprecio mucho la ayuda que me brindó para reemplazar mis pensamientos destructivos, aunque pensé que era imposible. No ha sido fácil, pero tampoco imposible."

Le pregunté cómo se sentía emocionalmente.

"Aún tengo momentos de dolor –quizás siempre los voy a tener. Pero los sentimientos ya no dominan mi vida. Cada vez que pienso en el abuso, elijo perdonar a mi hermano. Ya no soy más prisionera de mis emociones."

Como Marsha lo descubrió, el perdón no es un acontecimiento de una sola vez. Es una forma de vida. Cada recuerdo del abuso ha sido otro peñasco de amargura dentro de su alma. Pero cuando comenzó a tener control de su mente y escogió otra manera de pensar, ella cortó el fondo del saco.

También puedes cortar el fondo de tu saco. Como dijo Marsha, no es fácil, pero tampoco es imposible.

CAPÍTULO 8

Las rocas no se eliminan de la noche a la mañana

Las Cuatro Etapas del Perdón

BETH NO PODÍA COMPRENDER POR QUÉ la ira y la amargura seguían burbujeando en su interior como lava hirviendo que sale de un volcán inactivo. Después de todo ella había perdonado a su esposo y a la otra mujer, su "mejor amiga" –quien la había traicionado y herido tan profundamente.

Al menos Beth *pensaba* que la había perdonado.

Los detalles del drama son todos muy similares. De hecho, Beth dijo:" Todo el asunto parecía una dolorosa y predecible trama de una novela cursi. ¡La inocente esposa es la última en enterarse! ¿Cómo no me di cuenta?"

Lo que ella no sabía era que la aventura de su esposo, Derek y su mejor amiga Carrie, había comenzado hacía varios años. Este secreto salió a la luz cuando uno de los compañeros de trabajo los sorprendió cenando juntos en un suntuoso restaurante en un pueblo vecino. Al principio Beth se rehusó a creer que su esposo pudiera burlarse de ella tan descaradamente. Él era un líder en su iglesia y era muy respetado por los miembros de su comunidad.

Pero más y más, las pruebas empezaban a acumularse, confirmándole a Beth la verdad de esa conspiración: llamadas silenciosas, gastos misteriosos, viajes inesperados y reuniones de trabajo tarde en la noche.

Cuando Beth confrontó a Derek, él lo negó, entretejiendo elaboradas mentiras para tapar sus andanzas. Pero cuando Beth le presentó sus sólidas evidencias, él no pudo otra cosa que admitir la verdad.

Devastada, Beth inmediatamente le dio un ultimátum: ¡O terminaba la aventura, o terminaba el matrimonio! Ella le colocó límites claros a Derek, e insistió en una consejería matrimonial, la cual consideraba que era necesaria.

Beth también confrontó a Carrie, quien solamente le ofreció excusas poco convincentes y racionalizó la situación: "Nunca intentamos que esto ocurriera...no estábamos buscando involucrarnos...nosotros simplemente caímos...nunca quisimos hacerte daño."

Todo esto hacía arder el corazón de Beth porque Carrie, su confidente, se había convertido en "la otra mujer". Beth había confiado en su más cercana amiga muchas veces –ella era la persona con quien había pasado incontables horas riendo, soñando y haciendo planes.

Beth sentía continuamente que se estaba deshaciendo bajo el peso de una inmensa roca.

Para poder trabajar sobre sus sentimientos de dolor e ira, Beth se unió a un grupo de apoyo. Los otros miembros escucharon pacientemente a Beth mientras ella ventilaba y derramaba su corazón a lo largo de varios meses. Algunos trataron de resolver sus problemas para ayudarle a avanzar en su proceso de sanidad.

"Simplemente ya debes dejar eso atrás", dijo una mujer. "Ya es tiempo de dejarlo pasar y seguir adelante."

"Tú sabes que Dios quiere una restauración total entre tú y Derek", dijo otra. "Derek te ha pedido perdón y ahora es tu decisión si lo perdonas o no".

Una persona le dibujó un cuadro de palabras en el cual ella introducía todo su dolor en una caja de metal, la cerraba fuertemente y la arrojaba en la profundidad del océano. Ahí debía permanecer para siempre –y nunca jamás volvería a la "playa" de su vida.

Instalando las Piedras en el Adoquín

Los adoquines son piedras suaves y redondeadas que típicamente se sacan del lecho de los ríos para hacer el pavimento de las calles y andenes. Mientras que el término adoquinado se refiere a algo *rústicamente ensamblado*, la ubicación *imprecisa* de las rocas hace encantadora una calle adoquinada.

En los tiempos en que te has sentido olvidado, pasado por alto o ignorado, el dolor del rechazo lastima profundamente. Ten en cuenta que el rechazo está a un paso del resentimiento. Y el resentimiento es simplemente el resultado de un corazón que no perdona.

Puedes sentirte como si te hubieran "tirado" -como a una piedra cualquiera, lanzada sin ningún propósito, olvidada en el "lecho" de la vida. Pero Dios no se ha olvidado de ti.

Cuando sientas el dolor de la falta de perdón, entrégale esas piedras de hostilidad –esas piedras de desprecio- al Maestro Adoquinador. Beneficios asombrosos te esperan. Cuando estás en Sus manos, Él sabe qué hacer con ellas y dónde colocarlas. Él las coloca en los lugares correctos, en Su camino…de manera que cada una de tus experiencias dolorosas tengan un propósito eterno.

Beth sabía que estas personas deseaban lo mejor para ella. Pero sus consejos sólo hacían que se sintiera peor. Ella se sentía culpable de no poder perdonar completamente. Se sentía como una cristiana de segunda categoría por no poder acceder al poder sanador, como los demás decían que ella debía hacerlo.

Se sentía avergonzada cuando volvía todo ese veneno y esa ira. Ella se sentía cojeando por el camino de su vida como si tuviera unas ampollas gigantes debajo de sus pies. Para ella, caminar era terriblemente doloroso; correr en la libertad del perdón parecía completamente imposible.

COMO PERDONAR... CUANDO NO LO SIENTES

En el camino hacia la sanidad y el perdón, Beth había corrido hacia una insuperable pared de piedra –así pensaba ella.

Este fue el tiempo en que Beth llamó a nuestro programa de radio "Hope en the Night" (Esperanza en la Noche) y compartió su historia. Su voz temblaba: "Han pasado aproximadamente dos años desde que mi esposo terminó aquella aventura. Derek ha estado en un grupo de "rendir cuentas" y también se ha unido a un grupo de apoyo. Yo creo que él está genuinamente arrepentido –de hecho, tiene un profundo remordimiento por lo que hizo. Pero..."

La voz de Beth se apagó. Yo la animé a continuar. "Pero las cosas no son claras y ordenadas, ¿o sí?" Le pregunté: "Tú piensas que ya debías haberlo superado, pero no es tan fácil, ¿verdad?"

"No, y no lo comprendo. Ya he perdonado a Derek. Realmente lo he hecho. También he perdonado a Carrie. Pero a veces todavía siento una ira abrumadora y sé que eso no está bien. Muchas veces he proclamado palabras de perdón, pero parece que mis emociones no las han escuchado."

Cuando recibo llamadas como estas, yo quisiera viajar a través de las ondas del aire y rodear con mis brazos a aquellos que están sufriendo. Pero no puedo, entonces les ofrezco mi apoyo al explicarles la gracia de Dios lo mejor que puedo.

> El perdón es un regalo que te das a ti mismo
> -el regalo de un corazón en paz.

Las emociones de Beth la estaban llevando a la desesperación, y ella necesitaba paz y esperanza. Lo que le dije a Beth es lo que quiero decirles a todos los que luchan con residuos de resentimiento –con las heridas del pasado que parece que no sanaran: "Cuando la ofensa es muy grave, el perdón no ocurre fácilmente. El perdón real es un proceso lento, difícil y doloroso."

Los peñascos simplemente no se pueden sacudir como si fueran pequeñas piedrecitas.

"Finalmente el perdón *libera*, pero generalmente no es *rápido*. Esto puede no ser una buena noticia, porque quisiéramos que nuestro dolor y confusión desaparecieran rápidamente. Pero el dolor y la angustia que tú experimentas son perfectamente normales, y aún saludable. Cuando las personas toman atajos en el proceso del perdón, están meramente colocando curitas sobre una herida profunda. Esto no funciona y la sanidad real nunca ocurrirá." Las heridas profundas deben sanar de adentro hacia afuera.

Este es precisamente el peligro en el que podemos caer al utilizar la amonestación bíblica: "No dejen que el sol se ponga estando aún enojados", para martillar a alguien que no ha podido deshacerse de su ira antes de que anochezca. Ciertamente, no podemos esperar que la ira se disipe si la alimentamos y la repasamos día tras día. Sin embargo, una vez que examinamos la raíz o la causa de nuestro enorme furor y reemplazamos los pensamientos dañinos por pensamientos de sanidad, entonces satisfacemos el espíritu de esta enseñanza.

¿Por qué No Sirven las Soluciones Rápidas?

En 1969, la física Dra. Elisabeth Kubler-Ross, introdujo en el mundo, el concepto de las etapas del sufrimiento en su libro de referencia "On Death and Dying" (El Morir y la Muerte). Este revolucionario trabajo ayudó a millones de personas a identificar cómo comprender y tratar con el proceso de la muerte. Cuando a un paciente se le diagnostica una enfermedad terminal, la reacción mental y emocional típica consta de cinco etapas: negación, ira, negociar el tiempo, depresión y aceptación.

No puedo ayudar a alguien sin tener en cuenta estas etapas cuando empiezo a tratar el tema del perdón. Y esto es porque el proceso del perdón debe pasar por diferentes fases para llegar a una verdadera solución.

Ten en cuenta que he utilizado la palabra proceso varias veces. El perdón involucra progreso, una serie de decisiones acompañadas de acciones que se soportan mutuamente. Es por esto que muchas personas quedan detenidas en su resentimiento –ellos quieren perdonar rápidamente y seguir adelante. Pero la completa sanidad viene gradual y progresivamente.

Nosotros tenemos que alcanzar en el fondo de nuestro saco emocional, las heridas y desalojar, dolorosamente, las rocas de resentimiento que están acuñadas unas junto a otras y se resisten a moverse.

Para la mayoría de la gente, esto es difícil de aceptar ya que vivimos en una sociedad "instantánea". Estamos acostumbrados a soluciones fáciles y rápidas y esperamos que las cosas ocurran inmediatamente. Todo lo queremos ya.

Para que puedas desocupar tu saco de cada piedra de hostilidad, es necesario que te comprometas a estar limpiando continuamente tu alma y espíritu.

Muchos como Beth se aferran al concepto equivocado de que perdonar a alguien es una decisión que ocurre una vez y para siempre. Ellos se han acogido a los famosos clichés, "Perdona y olvida", "Déjalo pasar y déjaselo a Dios", o peor aún "¡Supéralo!", como si éste fuera el final del asunto.

¿Cuáles son las Cuatro Etapas del Perdón?

Ya que el perdón generalmente es difícil de dar, encontrarás ayuda al trabajar sobre estas cuatro etapas del proceso. Como ya lo has comprendido, ten en mente que el perdón es un regalo que finalmente te das a ti mismo –el regalo de un corazón lleno de gozo. Es una vida libre de rencor. Es verdadera libertad. Es riqueza, una vida útil y provechosa que Dios quiere que tú experimentes.

Dios quiere que estés libre de la amargura venenosa –como el veneno mortal que el Capitán Meriwether Lewis expuso durante la expedición de Lewis y Clark.

De acuerdo con lo registrado en un diario con fecha Agosto 22 de 1804, estos dos famosos exploradores llegaron a un risco que exhibía numerosas clases de rocas –valiosas rocas que contenían alumbre, cobre, cobalto y piritas. Para probar la calidad de los minerales, Lewis probó el cobalto y aspiró su humo y se envenenó casi hasta morir. Como remedio para este amargo veneno, Lewis tomó una dosis de sales para contrarrestar su efecto mortal.[2]

Hay un remedio para las rocas venenosas de resentimiento en nuestras vidas. Este remedio sanador involucra las cuatro etapas del perdón –etapas que extraen la amargura- con todos sus efectos tóxicos –de una vez por todas.

Alguien dijo una vez:" La libertad es lo que tú haces con lo que te han hecho." No puedo estar más de acuerdo con esto. El gran pago

El No Perdonar es Tóxico

El *cobalto* se encuentra en varias vetas y se puede convertir en un metal duro y brillante con múltiples aplicaciones. Sus componentes se utilizan en una variedad de pinturas y tintas, pero su más bella aplicación es el pigmento de azul cobalto para colorear el esmalte, el vidrio, el azulejo y la porcelana. El cobalto es también un elemento necesario para la vida humana –una pequeña cantidad hace parte de la vitamina B12 -pero en exceso en tu organismo puede ser tóxico para tus pulmones y tu corazón.

La falta de perdón, también, puede envenenar tu corazón y aún contaminar tu espíritu. Cualquier veneno en el corazón puede ser fatal emocional y espiritualmente, al igual que demasiado cobalto en el interior de tu cuerpo.

En vez de permitir que el veneno de la venganza te lastime, puedes permitir que el Maestro Físico te dé la sanidad que jamás podrías imaginarte…y una esperanza que no podrías tener por ti mismo. Cuando le entregas tus rocas venenosas a Él, Él te sanará con Su extraordinario amor. Él te dará la libertad para obtener su extraordinario perdón y tu tóxica falta de perdón ¡Se irá!

por trabajar en estas cuatro etapas del perdón es la nueva libertad que obtienes al sacar tu amargura, para disfrutar de las relaciones y para experimentar la totalidad de lo que Dios desea para ti.

Primera Etapa: *Enfrentar la Ofensa*

El primer paso es con frecuencia el más difícil: ver la ofensa tal como realmente es. Antes de ofrecer completo perdón, debes comprender la gravedad de la ofensa y la magnitud del problema – además del dolor ocasionado. Tienes que enfrentar la verdad y examinar a fondo todo el dolor resultante. Muchos se quedan en esta etapa porque las ofensas son frustrantes en el mejor de los casos y exasperantes en el peor de los casos.

No existe una persona sobre la tierra que no preferiría evitar enfrentar el dolor. Y tristemente, esto es lo que hace la mayoría. Digo tristemente porque *experimentar el dolor conduce a la sanidad.* Pero la sanidad comienza enfrentando la verdad – y enfrentando el hecho de que tienes rocas de dolor en tu saco emocional.

Jesús dijo a Sus seguidores: "Y conocerán la verdad la verdad los hará libres"₃ No hay ninguna evidencia en esta afirmación que nos haga pensar que el conocer la verdad y experimentar libertad es algo que ocurre rápidamente y sin ningún dolor. Recuerdo el título fascinante de un viejo libro: *La verdad te hará libre, pero primero te hará miserable.* Cuán cierto es esto.

Alguien dijo; "Tan pronto como pasó ese horrendo calvario, yo lo perdoné. Eso fue lo que me enseñaron a hacer". De hecho, muchas personas bien intencionadas se sienten culpables si no pueden brindar el perdón inmediata y completamente. Ellos tratan de perdonar sin confrontar la magnitud y profundidad de la ofensa y el daño ocasionado por ésta. Raras veces esa es la reacción inicial frente al maltrato. Lo que pasa generalmente es que después del suceso, se experimentan diferentes niveles de dolor por un período de tiempo. Por lo tanto, el perdón debe darse una y otra vez en cada nivel de impacto.

Frecuentemente hablo con aquellos que obstaculizan la verdadera sanidad racionalizando la ofensa: "No importa lo mal que me trate, él no tiene la intención de hacerme daño". Y algunos minimizan la ofensa: "Cosas peores le ocurren a otros". Pero la verdad es que *ningún comportamiento dañino es aceptable.* No hay excusa para el mal trato – en ningún momento, en ninguna parte y de ninguna manera. Como el apóstol Pablo dijo: "No tengan nada que ver con las obras infructuosas de la oscuridad, sino más bien denúncienlas.", [4]

Otros fallan en enfrentar la verdad excusando la conducta de su ofensor: "Él simplemente no se dio cuenta de lo que estaba haciendo". O "Yo no debería estar enojado con él. Él es un miembro de la familia". No importa la edad del ofensor, no importa nuestra relación con el ofensor, una ofensa es una ofensa, malo es malo. Necesitamos reconocer la injusticia como lo que es y necesitamos llamar al pecado *pecado*. Debemos enfrentar la verdad en lugar de rechazarla o excusarla. El escritor de Proverbios dijo: "Maldecirán los pueblos, y despreciarán las naciones a quien declare inocente al culpable." [5]

Segunda Etapa: *Sentir la Ofensa*

Como respuesta a un tratamiento injusto, podemos sentir rabia, indignación o aún ira. Sin embargo algunas personas evaden el tratar con honestidad con sus emociones porque creen que es inapropiado o no-cristiano, odiar. Pero odiar no es del todo malo. Dios odia el mal. La Biblia dice: "Todo tiene su momento oportuno, hay un tiempo para todo lo que se hace debajo del cielo… un tiempo para amar y un tiempo para odiar".[6] Todas nuestras duras rocas emocionales necesitan ser excavadas en vez de permitir que permanezcan enterradas. Equivocarnos al no reconocer o experimentar el dolor puede resultar en respuestas rígidas: supresión de nuestros sentimientos o negarlos completamente.

Algunas personas insisten: "Su chisme hacia mí no es realmente doloroso – aún cuando seamos las mejores amigas. Probablemente fue solo un lapsus, y ¿quién no ha sido culpable de eso?" La verdad es que ser maltratado por alguien que amas es doloroso y *te causa* molestia. Sin *sentimiento*, no puede haber *sanidad*.

Nota cuán frecuentemente la Biblia menciona crudas emociones. El salmista escribió: "A ti Señor elevo mi clamor desde las profundidades del abismo."[7] Y el profeta Jeremías clamaba: "¿Por qué no cesa mi dolor? ¿Por qué es incurable mi herida?[8] Tal grado de desahogo es terapéutico y curativo.

Sin embargo, cuando los sentimientos son negados o ignorados, se convierten en minas antipersonales, enterradas bajo la superficie: peligrosas y explosivas. La única manera de eliminar su amenaza potencial es desactivarlas o detonarlas. En ambos casos, deben ser identificadas y tratadas con cuidado.

Tercera Etapa: Perdonar al Ofensor

Tal vez conoces las famosas palabras: "Errar es humano, perdonar es divino."[9]

En la sala de mi casa tengo pequeñas porcelanas azules y blancas de Delft que siempre me hacen sonreír. En ellas se lee: "Errar es humano – ¡culpar a otro es más que humano!" ¡Esto es muy cierto! Cuánto más fácil es alimentar el resentimiento que lidiar con el perdón. Pero Dios nos ha llamado tanto a buscar el perdón como a darlo. Y cuando lo damos, nuestras vidas aceptan el carácter divino de Cristo.

> El perdón no es un sentimiento sino un acto de la voluntad –una decisión que tomamos.

Una vez que has trabajado en las dos primeras etapas –has enfrentado la ofensa y has sentido la ofensa -has puesto la base para que el verdadero perdón se de. Sin embargo, muchas personas conciben toda clase de argumentos para evitar dar el siguiente paso. Mira si alguna de estas frases te suena familiar:

Argumento: "Yo no debería perdonar si no siento perdonar. No sería genuino."

Respuesta: Como ya hemos visto, el perdón no es un sentimiento, por el contrario, es un acto de la voluntad –una decisión que tomamos. Jesús afirmó esto cuando dijo: "Cuando estén orando, si tienen algo contra alguien, perdónenlo, para que también su Padre que está en el cielo, les perdone a ustedes sus pecados." [10] El no dijo: "Espera a que tengas sentimientos de amor y *entonces* perdona." Con toda seguridad Jesús sabía que si esperamos hasta que *sintamos* perdonar, muy pocos de nosotros lo haríamos alguna vez.

Argumenwto: "Yo puedo perdonar a cualquier otra persona, pero Dios sabe que no tengo el poder para perdonar a cierta persona en particular."

Respuesta: El asunto no es tu falta de poder para perdonar si no cuán fuerte es el poder de Dios en ti. Como Pedro escribió: "Su divino poder, al darnos el conocimiento de aquél que nos llamó por su propia gloria y potencia, nos ha concedido todas las cosas que necesitamos para vivir como Dios manda." [11]

Argumento: "Perdonar no me parece justo. ¡Ella debe pagar por su error! ¡Ella no puede salirse con la suya!"

Respuesta: Dios sabe cómo tratar con cada persona justamente, y Él lo hará, en Su tiempo y a su manera. Cuando tratamos de determinar qué castigo debe caer sobre alguien que nos ha hecho daño, asumimos un papel que no nos corresponde. Como el apóstol Pablo dijo: "No tomen venganza, hermanos míos, sino dejen el castigo en manos de Dios, porque está escrito: "Mía es la venganza; yo pagaré", dice el Señor."" [12]

Argumento: "Yo he perdonado, pero esto no ha hecho ningún bien. Él sigue haciendo lo mismo una y otra vez."

Respuesta: Tú no puedes controlar lo que los otros hacen, pero sí puedes controlar *cómo respondes* ante lo que otros hacen. Jesús dijo que respondieras con perdón sin importar el número de veces que te hicieran daño. [13] Debes comprender que la voluntad de perdonar –repetidamente, si es necesario- no significa permitir que nos pisoteen como a un tapete. No hay nada de nobleza o bondad en permanecer pasivos frente a un maltrato persistente que se puede evitar.

Argumento: "No puedo perdonar y olvidar. Sigo pensando en lo que sucedió."

Respuesta: Cuando eliges perdonar no se trata de tener una "amnesia santa". Sin embargo, puedes cerrar tu mente a permanecer repasando el dolor del pasado. Elige no repasar el suceso doloroso una y otra vez. Rehúsa a traer la ofensa a tu mente otra vez. Pablo escribió[']: "Olvidando lo que queda atrás y esforzándome por lo que está adelante, sigo avanzando hacia la meta para ganar el premio que Dios ofrece mediante su llamamiento celestial en Cristo Jesús."[14] Me alegra que él usa las frases "esforzándome por alcanzar" y "sigo avanzando" porque ellas implican el *esfuerzo* que se requiere para dejar atrás no solamente las cosas que antiguamente glorificábamos, sino también las heridas pasadas y las caídas.

Cuarta Etapa: Encontrar unidad

El escritor y físico Richard Swenson, dijo: *Las relaciones rotas son como una cuchilla que atraviesa la arteria del espíritu. Contener la hemorragia y cerrar la herida debe hacerse lo más rápidamente posible. Pero aún con mucha frecuencia toma meses o años. Y algunas veces el sangrado nunca se detiene...No es la venganza lo que sana. No es el litigar, el tiempo, o la distancia lo que sana. Es el perdón y –cuando es posible- la reconciliación, lo que sana totalmente. La verdadera reconciliación es una de las más poderosas de todas las interacciones humanas. Esto no es asunto de psicología humana sino un don divino.* [15]

Las relaciones llenas de resentimientos finalmente perecen; las relaciones llenas de perdón finalmente prevalecen. Sin embargo, la restauración de la unidad depende de varios factores. Cuando estas condiciones se dan y ambas partes están comprometidas con la reconciliación, entonces los dos pueden ser una misma mente y un mismo corazón. La Biblia dice:"Por tanto, si sienten algún estímulo en su unión con Cristo, algún consuelo en su amor, algún compañerismo en el espíritu, algún afecto entrañable, llénenme de alegría teniendo un mismo parecer, un mismo amor, unidos en alma y pensamiento."[16]

¿Cuáles Son Los Pre requisitos Para Restaurar Las Relaciones?

Una relación rota puede ser restaurada cuando ambas partes están comprometidas con la honestidad en la relación. Yo utilizo el acróstico H-O-N-E-S-T-Y (HONESTIDAD) para mostrar los elementos involucrados en este momento.

H *onestamente evaluar tu relación y a ti mismo.* Dios quiere usar tu relación para revelar tus debilidades y para fortalecer tu relación con Él. Evaluar tus propias debilidades y las debilidades en tu relación para que sepas en dónde es necesario hacer cambios.[17]

O *fensor - Abre tu corazón y comparte tu dolor.* Ten una conversación profunda con tu ofensor. Explícale completamente el dolor que sufriste y la pena que hay en tu corazón. No lo ataques y no amontones culpabilidad. En vez de esto enfócate en la ofensa y explícale cómo te hizo sentir.[18]

N *ota cuál es la responsabilidad de tu ofensor.* La persona que te ha hecho daño necesita saber que el incidente atravesó como una flecha tu corazón. Los ofensores que ignoran tu dolor y se niegan a reconocerlo no están listos para la reconciliación porque no lo están para asumir su responsabilidad. Ellos deben reconocer tu dolor y demostrar tristeza por lo que te han hecho.[19]

E *spera que tu ofensor sea completamente confiable.* Es necesario hacer promesas y se deben establecer medidas de seguridad en relación con la honestidad, apoyo y lealtad en la relación. Aunque tú no puedes garantizar que la otra persona cumpla su promesa, tú debes ser capaz de discernir si en él hay sinceridad y confiabilidad.[20]

S *aber establecer límites apropiados para la relación.* ¿La otra persona ha cruzado la línea en cuanto a lo que es apropiado (excesivamente enojado, posesivo, degradante, insensible, irresponsable, orgulloso, abusivo)? Si así ha sido, explícale cuál es el límite y cuáles son las consecuencias por la violación de ese límite (una relación limitada) y cuál es la recompensa por respetarlo (incremento de confianza). Tú necesitas ser lo suficientemente disciplinado como para llamar a cuentas a tu ofensor y tu ofensor necesita ser lo suficientemente disciplinado para dejar de socavar la relación.[21]

T *oma tiempo, piensa cautelosamente y ora con sinceridad antes de permitirle a tu ofensor volver a tu corazón.* Cuando la confianza ha sido pisoteada, la integridad y la coherencia necesitan probar que tu ofensor ahora es confiable. El cambio toma tiempo, por lo tanto no apresures la relación. La confianza no se vuelve a ganar de la noche a la mañana –y la confianza no se da sino que gana.[22]

Y *permítele a tu corazón empezar de nuevo.* Dios quiere que tengas un corazón que esté abierto a Su perfecta voluntad para tu vida. Las ofensas serias re-direccionan tu futuro y no podrás volver atrás junto con tu ofensor como si nada hubiera pasado. Tú personalmente cambias a través del dolor. Asumes nuevos roles y simplemente no puedes abandonar tus nuevos lugares en la vida al momento de perdonar un amigo e invitarlo de nuevo a entrar en tu corazón y en tu vida.

Una vez que empiezas a cortar las ligaduras que te ataban a heridas del pasado y dolores en el corazón, cada día se convierte en una oportunidad para tomar decisiones positivas. Ya no estás limitado por lo que *pasó*, pero sí por lo que puede *suceder*. Ahora puedes determinar la dirección de tu vida y no vivir más con el fantasma de tu pasado.[23]

Librarse de la Ira: La Historia de Rob

> Cuando perdonas ya no estás limitado por lo que pasó, pero sí por lo que puede suceder.

"Quiero el divorcio". Aquellas eran las palabras que menos esperaba escuchar "Rob" al regresar a casa después de haber estado tres días en la conferencia Promise Keepers (Guardadores de Promesas). Pero aquella tarde su esposa "Rita" estaba inusualmente callada y distante. Cuando le preguntó por qué, vertió toda su angustia en un mar de emociones. Ella le explicó que durante los días que se había ido, una nueva sensación de paz y calma había llegado al hogar.

"Durante los pasados tres días, me sentí mejor con respecto a mí misma, que lo que me sentí durante nuestros años de matrimonio. De hecho, me he sentido cien veces mejor con respecto a quien soy yo. ¿Por qué? Porque tú no has estado aquí. Porque no he tenido que preocuparme constantemente por cuál será tu próxima rabieta, tu próximo arrebato, o tu próximo bajonazo". Ella tragó con dificultad y le dijo que quería terminar con el matrimonio.

Para Rob este doloroso momento de verdad, fue terrible.

Rita aceptó asistir a sesiones de consejería como un último esfuerzo para salvar su matrimonio. Después de algunas sesiones, el consejero identificó el fondo del asunto: Rob tenía un problema de ira no resuelta, la cual se avivaba y le hacía estallar en cólera periódicamente.

Había fallado en llevar heridas pasadas significativas que convertían sus emociones en una caldera hirviendo y agitaban todas esas rocas, piedras y peñascos en su saco a punto de reventarse. No pasó mucho tiempo para que escupiera todo ese "desecho tóxico" que había en su interior, como un geiser y lastimara al que se estuviera a su alcance. Con mayor frecuencia era Rita la que quedaba herida, con dolor y temor.

¿Cuál fue su reacción cuando el consejero sacó todo esto a la luz? "¡Estaba enojado con él!" Rob recordaba. "En un momento yo gritaba y me sacudía afuera del salón". Las observaciones del consejero punzaban el espíritu de Rob – el pensamiento de que él tenía que cambiar era más de lo que podía soportar.

Varios meses después, incapaces de resolver sus diferencias, Rob y Rita se divorciaron. Pero por la gracia de Dios, la travesía de Rob hacia la sanidad estaba apenas comenzando.

Una noche en que no podía dormir, unos meses después de que se había separado, Rob prendió su radio. En *Hope in the Night* estaba al aire el tema de la ira. El escuchó atentamente y ordenó nuestro material sobre este tema. Con él en su mano, reservó una habitación en un hotel para pasar un intenso fin de semana leyendo, escuchando y orando, y poder comprender los principios de Dios para superar su problema de ira no resuelta. No pasó mucho tiempo para que Rob reconociera la gravedad del asunto.

"Esto me golpeaba como una tonelada de ladrillo. Frecuentemente reaccionaba contra la gente – especialmente con Rita – con ira. Era tan iracundo que me volvía irracional y perdía el control".

Una noche, Rob escribió esto en su diario: "Miro hacia atrás y veo mis incontables episodios explosivos con arrepentimiento y remordimiento. Estoy sufriendo profundamente al darme cuenta cuánto daño le hice a muchas personas – mi ex – esposa, mi hijo, mi madre, mis empleados. Sin embargo, Cristo me está sanando a medida que comprendo la fuente de mi ira – y Él está sanado mis relaciones a medida que yo busco el perdón de aquellos a quienes les he hecho daño."

El progreso de Rob y su sanidad tomaron un tiempo considerable mientras que mes tras mes él adquiría una mayor comprensión acerca de cómo su pasado afectaba su presente.

"Dios me reveló gradualmente la fuente de mi ira – un profundo dolor por el rechazo que sufrí durante mi infancia y adolescencia. Cuando yo estallaba en ira con mi esposa, intentaba controlarla para que no me rechazara. Pero en realidad lo que hacía era peor." Cuando Rob no podía controlar a su esposa, perdía el control.

Cuando Rob perdonó a aquellos que lo habían lastimado en el pasado, fue liberado de la ira que destruía sus relaciones presentes y ponía en peligro las futuras. Hoy día, Rob cuenta que tiene una buena relación con Rita desde que ella se volvió a casar. De hecho, recientemente recibió una carta de ella agradeciéndole por su actitud compasiva y que reflejaba el carácter de Cristo durante los años posteriores al divorcio.

"Estoy trabajando en progresar", dijo con humildad. "Todavía me enojo a veces, pero ahora puedo dar un paso atrás y comprender el por qué. Ahora entiendo mejor la fuente de mis anteriores explosiones emocionales. Pero mejor que esto, sé cómo expresar mis sentimientos constructivamente."

Rob había sido un prisionero de su propia ira inmanejable. Por muchos años, él llevó atado a sus espaldas un pesado saco emocional de heridas que le daban el ímpetu para actuar y reaccionar de maneras crueles. Pero por medio de la guía y sanidad de Dios – y su valor para confrontar la verdad - Rob fue liberado de los grilletes de ira que controlaban su vida. Él le había dado a Cristo el control de su vida, y ahora era libre.

Como escribió el salmista: "El Señor pone en libertad a los cautivos, el Señor da la vista a los ciegos, el Señor sostiene a los agobiados, el Señor ama a los justos."[24]

Como Rob, todos nosotros podemos ser libres de rocas, de nuestras pesadas cargas, ¡libres de los grilletes!

CAPÍTULO 9

Evitando a los que lanzan piedras

Una cosa es el perdón, y otra la reconciliación

"YO SABÍA ACERCA DE LA FORMA DE VIDA DESCONTROLADA QUE VICKY LLEVABA cuando era más joven", me contó Clint en *Hope in the Night* (Esperanza en la Noche). "Ella reconocía todas las cosas malas que había hecho y las decisiones equivocadas que había tomado. Pero yo creí que todo eso había quedado atrás. Pensé que su "tendencia rebelde" había terminado hace años. Me imaginé que todo eso estaba oculto tras las sombras, esperando no volver a salir."

Pero Vicky, su esposa por ocho años, otra vez volvió un caos su vida y lo dejó, a él y a sus dos niños, para irse a vivir con un antiguo novio que había tenido antes de ser cristiana. Al trasladarse a otro lado, consiguió un trabajo vendiendo bebidas en un bar local. No mucho tiempo después fue arrestada por conducir embriagada y por posesión de marihuana. Es como si se hubiera convertido en una persona diferente de la noche a la mañana, deshaciendo su matrimonio en pedazos.

"No sé de dónde salió todo esto. Estoy totalmente deshecho."

En la época en que Clint me llamó, trabajó arduamente por perdonar a Vicky. A pesar de sus luchas con el profundo dolor de la traición, Clint comprendió que el perdón no depende de las emociones. Por supuesto que él tenía que enfrentarse con la ira y con el impulso natural de retaliación, de alguna manera. Ciertamente tenía momentos en que se sentía como halando piedras de ira en su costal y lanzándoselas a ella. Pero a medida que pasaba el tiempo, él progresó significativamente en cambiar sus pensamientos de venganza y reemplazarlos por la Palabra de Dios. Cada día sentía que la carga de la falta de perdón era más liviana a medida que soltaba lentamente la traición de Vicky.

¿Entonces por qué Clint siente ahora la necesidad de llamarme? Porque Vicky finalmente le ha pedido el perdón que él había aprendido a darle.

"Ella vino a verme anoche. Estaba llorando. Dijo que había cometido el peor error de su vida y que lo lamentaba."

"Eso es bueno. Ese es el principio del arrepentimiento. Me imagino que aún tiene un largo camino por recorrer, pero el admitir sus errores es la mejor manera de comenzar."

"Eso es cierto, pero…" Clint vaciló, e inmediatamente comprendí su problema.

"¿Ella te preguntó si podía volver a casa?"

"Sí, lo hizo, y yo no sé que hacer. Me siento muy culpable. Ella dijo que quería empezar de nuevo y que seamos una familia nuevamente. Supongo que eso es posible, pero ya no confío en ella. ¿Eso está mal? Yo creo que la he perdonado genuinamente, pero tengo serias dudas en cuanto a intentar recoger lo que habíamos dejado. Cuando Dios dice que perdonemos, ¿quiere decir que también tenemos que reconciliarnos?"

Esta pregunta lo dice todo. Clint había trabajado en la necesidad de extender su perdón incondicional, pero no estaba preparado para el espinoso asunto de la reconciliación. Es difícil porque muchas personas no saben que hay una diferencia entre perdonar y restaurar la relación con alguien – ¡entre mantener tu saco vacío al sacar las rocas y al evadir las rocas! De hecho, muchas personas se resisten a perdonar a otros precisamente por el complicado tema de la reconciliación. Ellos temen que perdonar a una persona requiera re-establecer una relación con ella. Dicen: "Si perdono a alguien que me ha lastimado, pareceré débil y estaré dando la impresión de que puede hacerme daño cuando quiera."

La verdad es que, perdonar a alguien y establecer límites firmes, van de la mano. El perdón debe incluir medidas de protección que prevengan un futuro maltrato.

Clint llamó porque tenía temor de que perdonar a Vicky significara reiniciar una relación como esposos automáticamente. Él no tenía ninguna razón para confiar en que ella no volverá a reincidir en sus problemas de drogas y alcohol, y él sabía que ellos no podían reconstruir su matrimonio sobre una base sólida nuevamente partiendo de una situación tan difícil.

Todos Esos Destellos...

La *Pirita* es un mineral sulfatado con cristales isométricos que aparecen en formas cúbicas. Su tonalidad amarilla con brillo metálico, lo ha hecho acreedor al apodo oro tonto. Aunque la pirita se ve tal como el oro – no lo es – demostrando que no todo lo que brilla es oro.

Las palabras "lo siento" o "yo te perdono" no siempre son del todo confiables. Cuando se expresan genuinamente, ellas pueden ser un poderoso ímpetu hacia la reconciliación. Pero cuando suenan huecas con un falso perdón, estas palabras son "solamente palabras"… lo que las hace tan decepcionantes como el oro tonto. El admitir la culpabilidad a regañadientes y a medias, no hace nada para restituir la confianza-- y la confianza es de suprema importancia para lograr una reconciliación en la relación.

Cuando tú le entregas tus "pedazos de pirita" rotos a Dios – las disculpas huecas, los "lo siento" poco sinceros – el Maestro Purificador las transformará en oro de 24 kilates… en el oro más puro en tu alma. Y tu transformación no depende de lo que alguien hace o no hace – solamente de lo que el Purificador hace contigo en la medida en que te rindes ante Su voluntad. A través de su proceso de purificación, te volverás real, auténtico y genuino… porque para Dios, "Todo lo que brilla es oro".

Sin embargo, Clint deseaba obedecer a Dios. Estaba desesperado por saber lo que Dios quería de él – ya fuera que se reconciliara con Vicky, a pesar del daño potencial para él y los niños. Yo le aseguré que Dios no deseaba que él llevara a su familia por un camino dañino. Perdón vs. Reconciliación: ¿Cuál es la Diferencia?

No me mal interpretes – la reconciliación después de una ofensa es maravillosa. De hecho, la reconciliación es lo ideal. Es la meta por la que debemos esforzarnos. Sin embargo, perdón y reconciliación no son lo mismo. De hecho, son muchas las diferencias:

PERDÓN VS. RECONCILIACIÓN: ¿CUÁL ES LA DIFERENCIA?

* El *perdón* puede darse con solamente una persona; la reconciliación requiere que estén involucradas por lo menos dos personas.
* El *perdón* está dirigido en un sentido, la reconciliación es recíproca, se da en los dos sentidos.
* El *perdón* es una decisión de soltar a la persona que te ha hecho daño; la reconciliación es el esfuerzo de volver a unirte con esa persona que te hizo daño.
* El *perdón* involucra un cambio de pensamiento acerca del ofensor; la reconciliación involucra un cambio de comportamiento por parte del ofensor.
* El *perdón* es un regalo que tú le ofreces libremente a quien ha roto tu confianza; la reconciliación es una relación restaurada basada en una confianza restaurada.
* El *perdón* es extendido aún cuando no se merezca; la reconciliación es ofrecida al ofensor porque se la ha ganado.
* El *perdón* es incondicional a pesar de la falta de arrepentimiento; la reconciliación se basa en el arrepentimiento.

Dios siempre quiere paz con nosotros y entre nosotros.

La realidad es que la reconciliación, distinto del perdón es una empresa conjunta. Son dos personas comprometidas para reparar y re-establecer una relación que ha sufrido daños. La reconciliación se enfoca en la relación a diferencia

130

del perdón, el cual no requiere que haya una relación. Ambas partes deben llegar a conclusión acerca de si la reconciliación es posible o no.

Con el perdón, el que perdona debe dar un paso gigante hacia adelante a pesar de lo que haga el ofensor. Con la reconciliación, tanto el ofensor como el que perdona dan el paso gigante. Ambas partes deben invertir igualmente para obtener el resultado. Esto significa que la reconciliación requiere de una relación en la cual las dos personas desean caminar juntas para alcanzar la misma meta. Como dice la Biblia: "¿Pueden dos caminar juntos sin antes ponerse de acuerdo?"[1]

El Camino Hacia la Reconciliación: La Historia del Hijo Pródigo

En la conocida parábola del hijo pródigo, sabemos que el padre perdonó antes de que el hijo se arrepintiera y volviera a casa. Al hacerlo, se libró a sí mismo de vivir la tormenta de la constante amargura. Él estaba libre para continuar con su vida. Pero ahí no es donde termina la historia. El anhelo más profundo de este padre, era que su hijo volviera. Él miraba y esperaba que se diera esta posibilidad, y cuando llegó, la aprovechó.

Dios siempre quiere paz *con nosotros y entre* nosotros. Él pagó un alto precio para reconciliarse con el mundo, y después nos pasó ese ministerio a nosotros. La Biblia dice que Dios:

Por medio de Cristo nos reconcilió consigo mismo y nos dio el ministerio de la reconciliación: esto es, que en Cristo, Dios estaba reconciliando al mundo consigo mismo, no tomándole en cuenta sus pecados y encargándonos a nosotros el mensaje de la reconciliación. Así que somos embajadores de Cristo, como si Dios los exhortara a ustedes por medio de nosotros: "En nombre de Cristo, les rogamos que se reconcilien con Dios."[2]

¿Esto significa que hemos fallado si nuestro perdón no siempre lleva a la reconciliación? Ya que tenemos que perdonar sin importar lo que sea, ¿debemos también reconciliarnos sin importar lo que sea? La respuesta es ¡No!

Al regresar a casa, el pródigo arrepentido dijo: "Papá, he pecado contra el cielo y contra ti. Ya no merezco que se me llame tu hijo".

El padre inmediatamente restauró a su hijo en su posición anterior en la familia, e hizo una fiesta para celebrar su regreso.

Supón que el hijo hubiera dicho: "Oye, viejo, ya se me acabó el dinero. Dame más y me iré de aquí antes de que me lo pidas, "vino, mujeres y canciones"".

En este caso, la historia hubiera terminado sin reconciliación. El perdón extendido por el padre y su deseo de recuperar la unidad, no hubieran sido suficientes para que hubiera una reconciliación.

¿Cómo la Confianza Afecta la Reconciliación?

El elemento esencial en la reconciliación es *restaurar la confianza*. Con seguridad Aristóteles estaba hablando de la confianza cuando dijo: "Querer ser amigos, es un trabajo rápido, pero la amistad es un fruto que madura lentamente." Aún bajo las circunstancias más favorables, toma tiempo y trabajo desarrollar la confianza con otra persona. ¡Cuánto más difícil es *reconstruir* la confianza después de que se ha roto!

Simplemente algunas veces no es sabio ni siquiera intentarlo. ¿Le pedirías a un pirómano que te cuidara la casa mientras estás de vacaciones? No gracias. ¿Compartirías tus más íntimos secretos con alguien que es chismoso? ¡Jamás en tu vida!

Por mucho de deseemos restaurar una relación, necesitamos usar el sentido común para protegernos a nosotros mismos. El escritor de Proverbios 22:3 lo dijo directamente: "El prudente ve el peligro y lo evita, el inexperto sigue adelante y sufre las consecuencias" (ESV). O como el autor del *Señor de los Anillos,* J.R.R. Tolkien escribió: **"De nada sirve dejar a un dragón vivo fuera de tus pensamientos, si vives cerca de él"**.[4] En otras palabras, si te sientes en peligro, ¡apártate de él!

En los primeros años de *Esperanza para el Corazón*, me encontré frente a una situación en la que fue necesario establecer límites claros – pero no lo hice- para proteger el ministerio y también a mí misma. Nuestro ministerio estaba buscando a alguien que viniera a formar parte del equipo de liderazgo. Un ejecutivo con un conocido y exitoso ministerio – alguien con reconocimientos impresionantes – me contactó.

Cuando "Jeff" llamó, dijo que había **"trabajado preparándose para su retiro"** logrando sus metas por encima de lo planeado y que había entrenado algunas personas muy hábiles para que lo reemplazaran. Ahora estaba listo para un nuevo desafío. Además dijo que Dios le había dicho que nos contactara – que Hope for the Heart era el lugar a donde Dios lo estaba enviando para sus próximas tareas. Suave como el mármol pulido, él parecía el candidato ideal e inmediatamente se unió a nuestro equipo.

Jeff asumió sus nuevas responsabilidades y causó una fuerte impresión por su entusiasmo y creatividad. Pero al cabo de un par de meses ásperos lunares aparecieron en su suave apariencia.

Un antiguo empleado me pidió si podíamos hablar algo confidencial. "¿Realmente tú le dijiste a Jeff que yo no recibiría un aumento de sueldo?"

Yo estaba atónita. "¿Qué quieres decir? Yo nunca he tenido una conversación con Jeff acerca de tu salario."

"¡Eso pensé! Eso no era algo que tú harías. Jeff me dijo que hace tres días que tú estabas muy descontenta con mi trabajo."

Yo le agradecía a ésta mujer por el valor que había tenido de contarme este acontecimiento y le dije que no se preocupara.

Yo me preguntaba, *¿Por qué Jeff diría algo así? ¿Por qué quería que esta valiosa empleada se sintiera menospreciada?*

A medida que el tiempo pasó, más y más incidentes problemáticos llamaron mi atención. El presidente de otra organización a quien yo

CÓMO PERDONAR… CUANDO NO LO SIENTES

consideraba un amigo, llamó para decirme que lamentaba mucho saber que había una "grieta" en medio de nosotros. Él no sabía acerca de mi opinión negativa hacia él y hacia su ministerio.

¿Qué? Yo no tenía idea de lo que él estaba hablando y, por el contrario, yo sentía que nuestra relación era tan fuerte y armoniosa como siempre.

Él mencionó cómo Jeff le había revelado mi inconformidad y mi deseo de romper nuestras relaciones de trabajo.

El cuadro se hizo dolorosamente claro. Jeff era manipulador, maquinador y creaba divisiones y a medida que pasaba el tiempo su brillante fachada se empezaba a romper y a desmoronarse como arcilla frágil. Él se las ingeniaba para poner a las personas una en contra de otra. A veces intencionalmente conducía a que dos personas entraran en conflicto y él se interponía como mediador, para aparecer siempre como el héroe. Otras veces él mismo formaba problemas, para aparecer como brillante cuando los "solucionaba". Descubrí más tarde que había propagado rumores insidiosos, dañando mi reputación y dejando el ministerio muy estropeado. Los peñascos de amargura ocasionados por Jeff podrían haber llenado una cantera.

Es triste decirlo pero Jeff era un lobo vestido de oveja. Fue una dolorosa despedida para todos los que estuvimos involucrados.

No mucho tiempo después de salir de *Hope in the Night* (Esperanza en la Noche), Jeff trabajó para una organización en la cual nuestros caminos se cruzaban ocasionalmente en convenciones. Una que otra vez al año durante los siguientes años, cuando lo vi, oré: "Señor, ponme en la boca un centinela; un guardia a la puerta de mis labios." Yo no quería ser culpable de hacer lo mismo que él había hecho conmigo. Cuando le encontraba en las reuniones yo era cordial. Sin embargo, no estaba deseosa, ni siquiera esperaba – reconciliarme con él. Yo no quería re-establecer ningún tipo de relación con él. Esa decisión no estaba basada en el rencor o la amargura, sino en el sentido común y en la comprensión de la naturaleza humana.

134

Alguien que es sagaz para el mal y solapado, no es íntegro espiritual, emocional o mentalmente. Yo temía que si yo compartía algo acerca de mí o de nuestro ministerio, él pudiera tomar la información y usarla en contra nuestra desenfrenadamente. Hasta el día de hoy cuando nuestros caminos se cruzan, yo he tomado la decisión de ser respetuosa. Pero ya que nada ha ocurrido para restaurar mi confianza en él, cuidadosamente mantengo una distancia que me da seguridad, fuera de su campo de lanzar piedras.

Estoy convencida de que Dios quiere que evitemos a los que lanzan piedras.

Yo no cuento esta historia para desacreditar a Jeff. He trabajado en el proceso del perdón y ahora no guardo rencor en absoluto. Traigo esta historia para ilustrar que hay veces que no debe haber reconciliación porque ésta puede causar un mayor daño y un gran dolor.

¿Existe un Mapa del Camino para la Reconciliación?

Todos hemos sido lastimados por otros, y en algún momento, también hemos sido responsables, tal vez inadvertidamente, de causarle dolor a otros. Cuando dos personas que han pasado por dificultades acceden a caminar por la vía de la reconciliación, es de gran ayuda saber qué van a necesitar para el viaje. También es importante saber cómo es una reconciliación saludable y apropiada.

El siguiente mapa te podrá ayudar a estar preparado para cada giro y vuelta de este viaje.

El Ofendido: ¿Qué Deber Tener Para el Viaje?

Cuando has sido lastimado, ¿cómo sabes si es seguro buscar la reconciliación en una relación? ¿Cuándo y cómo debe efectuarse la reconciliación? He aquí una lista de las provisiones que vas a necesitar para tu viaje hacia la reconciliación:

-**Perdón genuino.** La reconciliación no ocurrirá a menos que verdaderamente hayas cancelado la deuda de tu ofensor –en otras palabras, el saco de amargura debe estar perfectamente desocupado. Sin tu perdón, tú y tu ofensor no podrán avanzar hacia adelante.

El consejero Robert Enright sugiere que cuando sólo has perdonado a medias, este perdón es muy frágil para soportar una reconciliación real:

Los Seis Rayos de la Estrella

El zafiro estrella, ha sido llamado "la gema de los cielos". Los antiguos aseguraron que la tierra descansa sobre un zafiro gigante y su reflejo es el que da el color azul a los vastos cielos. Su diseño en forma de estrella es conocido como "asterisco", un modelo de seis rayos, con extensiones como agujas, que diferencia a esta piedra preciosa de todas las demás. Segunda en dureza después del diamante, el zafiro estrella está a su altura en cuanto a belleza.

Como el asterisco encima del zafiro estrella, imagínate extendiendo a través de tu mente esos pensamientos "no muy buenos" hacia aquellos que te han herido. Los pensamientos de venganza, pueden, con el tiempo, grabarse en tu mente y oscurecer tu corazón.

Tus pensamientos sin embargo, no deben manejarte. Eres tú quien debe manejarlos a ellos....con la ayuda del Maestro Grabador. Cuando le entregas a Él, tus rocas de resentimiento, le permites crear un suntuoso modelo de seis rayos, formado en un corazón que ha ido *menguando* el odio, que te *previene* de pensamientos de venganza, *repeliendo* pensamientos de autocompasión, *orando* porque el corazón de tu ofensor cambie, *practicando* perdonar "pequeños asuntos" y *sembrado* la Palabra de Dios en tu mente.

Este nuevo modelo mostrará a todos algo más maravilloso que el asterisco encima del apreciado zafiro estrella –el reflejo de la *mente de Cristo.*

Reconciliación sin perdón con frecuencia no es más que una
Tregua armada en la cual cada parte patrulla la zona desmilitarizada
Buscando incursionar (un ingreso hostil al territorio), de la otra
parte, esperando reanudar la hostilidad.
La reconciliación real requiere el perdón de ambas partes, porque en muchos
casos se presentan heridas de ambos lados. [5]

La reconciliación algunas veces falla, porque la parte afectada aún no ha hecho el trabajo pesado de perdonar. Asegúrate de no estar aún aferrado al pasado cuando estás intentando empezar a restaurar una relación en el presente. Observa si hay señales de residuos rocosos que aún estás cargando en tu corazón.

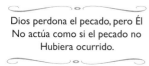

Dios perdona el pecado, pero Él No actúa como si el pecado no Hubiera ocurrido.

-Humildad. Con frecuencia cuando alguien te ofende, puede herir tu orgullo. Para mantener tu orgullo, puedes caer en la tentación de, mentalmente, ponerte por encima de tu ofensor y considerarte mejor que la persona que te hirió. En otras palabras, pensar acerca de ti como alguien tan brillante cual una piedra preciosa, y de tu ofensor como si fuera un opaco bulto de cemento gris. Esta puede ser una respuesta natural, pero no contribuye en nada a restaurar una relación. La reconciliación puede verse frustrada si te aferras a tu "recta indignación".

La humildad requiere abandonar cualquier actitud de superioridad o tolerancia. De lo contrario lo que haces es trazar una línea divisoria donde nadie más puede existir. No olvides que "todos hemos pecado y estamos privados de la gloria de Dios." [6]

Aún los más crueles ofensores son personas que también han sido lastimadas.

-Estar dispuestos a correr el riesgo. La reconciliación no es para cobardes. Dos personas que vuelven a unirse después de un conflicto requieren de mucho trabajo. Para que esto ocurra, debes estar dispuesto a ser vulnerable dentro de lo razonable. Después de sufrir dolorosas heridas, muchas personas juran que nunca más van a permitir que los hieran. Este juramento interno hace que el péndulo se balancee muy fuerte en la dirección opuesta. La única manera de mantener este juramento es nunca más volver a tener una relación.

Hay una diferencia entre fijar límites y cerrar completamente la frontera con una cortina emocional de hierro. Dejar lo suficientemente abierta la puerta para la reconciliación permite respirar y crecer de acuerdo con el plan de Dios. C.S. Lewis lo dice de esta manera: "Amar, es ser vulnerable…el único lugar aparte del cielo donde puedes estar perfectamente a salvo de todos los peligros y perturbaciones del amor, es el infierno."[7]

   -**Verdad y amor.** Por toda la Biblia, estos dos conceptos –amor y verdad- van por caminos paralelos. Dios perdona el pecado, pero Él no actúa como si el pecado no hubiera ocurrido. Dios te ha llamado a "vivir la verdad con amor".[8]

El amor, es primo hermano del perdón, ofrece aceptación y misericordia a los que nos han lastimado. La verdad no se acobarda por enfrentar la realidad y llamarle a lo malo, *malo*. Este es un asunto difícil para muchas personas que se sienten como si el perdón fuera equivalente a ser permisivo. Ellos dicen: "al perdonar a alguien que ha hecho mucho daño, ¿no se le está permitiendo que haga más daño aún? ¿No estaré siendo condescendiente con el pecado?"

Imagina que un hombre te pide prestado $500 y después rehúsa pagar el préstamo. Con dificultad puedes trabajar sobre tus sentimientos de venganza y perdonarlo, soltarlo a él y a la ofensa y entregárselos a Dios. Un año después, ¿le prestarías más dinero a este hombre no arrepentido? Por supuesto que no. No hay nada de noble o piadoso en darles a personas irresponsables la oportunidad de que se aprovechen de ti. Y Dios ciertamente no desea que tú facilites el comportamiento irresponsable de otros. Para reiterarlo: puedes ser amoroso (ofreciendo perdón), mientras que hablas la verdad (siendo honesto al tratar con la ofensa) y sabio (ofreciendo confianza sólo cuando la otra persona se la ha ganado).

Préstame mucha atención en este punto: el perdón no es condescendiente. Estos dos asuntos no deben entrelazarse. Tú puedes ofrecer gracia a la vez que eres completamente honesto contigo mismo y con tu ofensor. Considera los puntos siguientes:

Ser permisivo significa ponerte en la posición de ser ofendido una y otra vez. Tu puedes perdonar a una persona que te ha herido, pero no hay razón para que te expongas a un daño futuro. Ser perpetuamente maltratado no es parte del plan de Dios.

Ser permisivo nunca le ayuda al ofensor a cambiar sino que fortalece sus malos hábitos. Pasar por alto o guardar silencio ante una ofensa implica que aceptas que cuando alguien hace algo malo, tú le permites seguir haciéndolo. Esto solamente perpetúa un patrón destructivo de golpear a otros.

Las personas permisivas son las típicas personas complacientes que no dicen no cuando deben decirlo. Si le dices sí a personas irresponsables cuando debes decirles no, lo que estás haciendo es diciéndole no a Cristo. El apóstol Pablo dijo: "¿Qué busco con esto: ganarme la aprobación humana o la de Dios?"

Al ser permisivo, puedes estar trastornando la voluntad de Dios para tu vida así como la de tu ofensor. Muchas veces debemos decir no a las personas para poderle decir sí a Dios.

El Ofensor: ¿Qué Debes Llevar para el Viaje?

Vas a necesitar un equipo de provisiones muy diferente para tu viaje hacia la reconciliación, cuando tú has sido la persona responsable –inadvertidamente o no- de herir a otro. Esto incluye:

-Demostrar un arrepentimiento genuino. Todo el mundo ha recibido una disculpa a medias en algún momento. Nada es tan insatisfactorio como recibir una frase de mala gana: "Está bien, si hice algo malo, lo siento", con el único propósito de calmar al acusador y soltar a la persona culpable del gancho. Seguro que es difícil salir limpio de un daño o de una ofensa que hemos inflingido y muchas personas se muestran

CÓMO PERDONAR... CUANDO NO LO SIENTES

reacias a admitir su culpa. Ellos dicen "Tal vez hice una tontería". ¿Tal vez? ¿Una tontería? ¿Una equivocación? Qué tal esta frase en lugar de la anterior: Yo admito que cometí un terrible error al mentirte. Me comporté falsa e inmaduramente, y no te mostré el respeto que te mereces. Yo hice mal. ¿Me perdonas por mis acciones?"[10]

El falso arrepentimiento y las disculpas huecas no hacen nada para reconstruir la confianza. Esta reveladora Escritura contrasta la falsa con la verdadera: "La tristeza que proviene de Dios produce el arrepentimiento que lleva a la salvación, de la cual no hay que arrepentirse, mientras que la tristeza del mundo produce la muerte."[11]

Como la parte ofensora, *no tienes derecho de esperar una reconciliación* hasta que tu arrepentimiento sea verificado por tu comportamiento consistente, a lo largo de un periodo de tiempo significativo. Cualquier cosa menor que hagas, hace que la confianza sea imposible.

-Reconocer que causaste dolor. A diferencia del perdón, que requiere una respuesta por parte del ofensor, la reconciliación demanda un reconocimiento de haber ocasionado una dolorosa ofensa. Habrás dado un enorme paso hacia la sanidad cuando dices: "Yo sé que lo que te hice te hirió. Aunque no me es posible comprender la magnitud del dolor que te causé, comprendo que te he hecho daño. Ahora veo el daño que te causé con mis acciones."

Al no reconocer el dolor que has causado estás diciendo que no aceptas lo que hiciste y que no estás dispuesto a enfrentar todas las consecuencias de tus ofensas. Al no aceptar tu responsabilidad en causarle daño a otra persona, bloqueas la reconciliación, mientras que al asumir el daño que has ocasionado, la facilitas.

-Haz una restitución total. Para restaurar una relación debes tener el deseo de reparar el daño que ocasionaron tus acciones y pagar por ello, tan tangiblemente como sea posible. Piensa en la historia de Zaqueo. Mientras Jesús pasaba por Jericó, un día, el rico recaudador de impuestos quería verlo. Pero era muy corto de

estatura, entonces, se subió a un árbol para verlo por encima dela multitud. Cuando Jesús llegó al árbol para verlo, miró hacia arriba y dijo: "Zaqueo, date prisa, desciende, porque hoy es necesario que pose yo en tu casa". Esto sorprendió a todos, incluyendo a Zaqueo. Los recolectores de impuestos eran despreciados porque se hacían ricos estafando a la gente. Pero Zaqueo estaba tan tocado por el mensaje de misericordia y perdón de Jesús que dijo:"He aquí Señor, la mitad de mis bienes doy a los pobres; y si en algo he defraudado a alguno, se lo devuelvo cuadruplicado."Jesús le ofreció perdón, Zaqueo respondió con restitución por lo que había robado.[12]

Si la confianza va a ser restituida, debes "poner tu dinero donde está tu boca." En el caso de ofensas extremas, esto puede ser imposible (como la muerte causada por un conductor ebrio), lo cual hace que la reconciliación sea excesivamente difícil. Pero en cuanto sea posible, debes devolver lo que has tomado – pagar dinero robado, reparar una propiedad dañada, corregir un chisme que ha causado daño. Cualquier hecho tangible de restitución es un acto de "buena fe", signo de contrición.

-Establecer una responsabilidad personal. En el trabajo de la reconciliación no solamente debes aceptar la responsabilidad por las acciones pasadas, sino también aceptar la responsabilidad futura. Dependiendo de la gravedad de la ofensa, la persona a quien has herido, puede necesitar establecer un límite al insistir en que eres responsable de un tercero.

El psiquiatra y autor cristiano Dr. Paul Meier dice:

Cada ser humano debería rendir cuentas de sí mismo ante, por lo menos, otro ser humano. El que piensa que no necesita rendir cuentas, es el que más. El apóstol Pablo era un distinguido creyente pero siempre rindió cuentas de sí mismo, y nunca viajó solo. Usualmente llevaba consigo al Dr. Lucas y a veces a Silas, Bernabé u otros. Pablo dijo que nosotros realmente debíamos preocuparnos cuando pensamos que *no vamos a caer,* porque es exactamente *cuando caemos.* También fue Pablo quien dijo que él a veces hacía lo que no quería y que no hacía algunas cosas que desearía hacer.[13]

En otras palabras, aún un cristiano excepcional como el apóstol Pablo necesitó rendir cuentas de sí mismo.

Imagínate que un esposo le confiesa a su esposa que tuvo una aventura extra-matrimonial. Él parece genuinamente contrito y avergonzado – la esposa llega al punto de perdonarlo. Ella insiste, sin embargo, en que asistan a donde un consejero matrimonial, por lo menos por seis meses. El esposo insiste, por otro lado, que la consejería es innecesaria. De hecho, se rehúsa a asistir.

"Ya he pedido disculpas docenas de veces, he admitido totalmente cuán estúpido he sido. ¡Nosotros no necesitamos a un consejero entremetiéndose en nuestros asuntos! Podemos manejar esto nosotros mismos."

¿Qué debe hacer ésta esposa? Ella debe ser cautelosa y observadora. Si su esposo es reacio a aceptar la responsabilidad de rendir cuentas ante alguien, probablemente las mismas cuestiones que lo llevaron a la primera aventura, lo llevarán a la segunda.

Si se te pide estar sujeto a rendir cuentas de tus acciones, esto no debe hacerse de manera punitiva. El mensaje no debe ser: "Ya que sufrí, entonces tu debes sufrir también asistiendo a las reuniones semanales con tu grupo de rendir cuentas, o teniendo un consejero que te haga preguntas puntuales que te hagan retorcer."

El propósito de rendir cuentas es ayudarte a cambiar, crecer y mejorar. Es por esto que debes estar dispuesto a someterte a rendir cuentas – la persona a quien heriste necesita comprender mejor la motivación que hay detrás de tu doloroso comportamiento para evitar que se vuelva a repetir.

Si estás evaluando la necesidad de rendir cuentas o no, ten en mente esta observación del Dr. Meier: "El que piensa que no necesita rendir cuentas, es el que más."

Dos meses después de mi conversación telefónica con Clint – el esposo rechazado que estaba confuso en cuanto a aceptar la reconciliación – me envió un e-mail. Yo estaba feliz de volver a saber algo de él, porque me estaba preguntando si decidiría reconciliarse con Vicky o no.

"Me he estado reuniendo con mi pastor y continúo asistiendo a mi grupo de apoyo de la iglesia. Todos ellos me dijeron lo mismo que tú me dijiste: La reconciliación sería posible y aún deseable, pero solamente funcionaría bajo ciertas condiciones. Después de orar mucho y buscar en el fondo de mi alma, decidí no volver con Vicky. ¿Por qué? El factor decisivo fue que ella se resistió – y después abiertamente se negó – a recibir ayuda para sus adicciones. Ella dijo que había vencido ese problema antes por sí misma años antes, y que podía hacerlo de nuevo. ¡Qué tal! Ella nuca venció sus adicciones ya que volvió a caer en ellas. Con toda claridad ella está ciega a la verdad acerca de ella misma y no quiere ver honestamente su problema.

Clint enfatizó que había perdonado a Vicky y que estaba tratando de mantener una relación amigable y de apoyo con ella. Pero por su bienestar y el de los niños – y aún el de Vicky – no hay manera devolver atrás y que las cosas sean como eran antes. Muchas cosas han pasado y, lo más importante, muchos problemas en la vida de Vicky han re-surgido y ella no desea solucionarlos.

Aunque prefiero los finales: "…y fueron felices por siempre", admiro a Clint por mantenerse firme y sostener límites apropiados. Después de todo, el perdón es gratuito, pero la reconciliación requiere una alta inversión por parte de los involucrados. Dios nunca espera que nos expongamos al daño cuando alguien que nos ha herido no muestra signos de remordimiento, arrepentimiento o cambio.

Desocupar tu saco de peñascos emocionales puede o no implicar reconciliación. De hecho, establecer reglas claras para tus relaciones puede hacer que se aumenten los desacuerdos en cuanto a la reconciliación. Pero esto es saludable y te protege para que tu ofensor no te lastime una y otra vez. Obliga a los que han violado los límites a merecer tu confianza con acciones tangibles, no sólo con palabras.

Dios se complace cuando ocurre la reconciliación entre dos personas – cuando ambos vacían sus sacos de sus peñascos. Pero aún si tu ofensor es reacio a perdonar, tu saco puede estar libre de peñascos.

CAPÍTULO 10

Rompiendo el Poder de Tu Agresor

Orando por aquellos que te agreden

A NADIE LE GUSTA SER EMBAUCADO Y mucho menos admitir cuando nos sucede. Yo tampoco soy la excepción. Pero por candidez, no solo he sido embaucada, ¡sino doblemente embaucada! Al menos he aprendido lecciones valiosas y he adquirido experiencia.

Hace como 20 años me contactó un evangelista que se había trasladado a mi pueblo y a mi iglesia. Por teléfono me contó que había predicado en varias reuniones de la iglesia en las cuales Dios había tocado los corazones de la gente. Pensé que esto era maravilloso. Entonces "Dan" describió sus planes de ministerio y las próximas oportunidades para predicar. Luego me preguntó si podíamos reunirnos personalmente –lo más pronto posible. Respondí que sí y llegó a casa inmediatamente.

"Estoy muy emocionado con estas oportunidades para el ministerio, pero tengo un problema. Odio admitirlo pero estoy escaso de dinero en este momento…y ¡necesito comprar la comida para mi familia! Dan me mostró una foto de su hermosa esposa y dos niños pequeños. "Ha sido una época difícil para nosotros, pero sabemos que la mano del Señor está en nuestro ministerio. Claramente estamos haciendo la voluntad de Dios. Si me pudiera prestar unos $300, ya que en tres o cuatro días espero un cheque para cubrir el préstamo. Le pagaré tan pronto llegue el cheque."

Ante el cuadro que me pintó de sus preciosos pequeñitos y su sufrida esposa, yo no podía decir no en mi deseo de unirme a la voluntad de Dios.

Hice el cheque por los $300 y Dan me aseguró de nuevo que era un préstamo y que me lo pagaría. Se marchó mientras me aseguraba que se comunicaría conmigo para informarme cómo andaban las cosas.

Dan regresó a mi oficina un mes más tarde para solicitar más fondos. Las cosas estaban marchando bien, dijo, y había estupendos programas en ejecución. ¡El Señor estaba obrando!

Le extendí otro cheque.

Esto continuó por unos pocos meses más y cada vez Dan me decía que me mantendría al tanto con sus reportes. Nunca hice cuentas de qué tanto dinero le había "prestado" y realmente no deseo saberlo.

Luego pasaron varios meses sin tener contacto con Dan y francamente no lo recordé mucho. Finalmente recibí un reporte totalmente inesperado: Dan estaba en prisión. Hasta este momento, todavía no tengo muy claras las razones de su encarcelamiento.

Mientras tanto, tuve la oportunidad de conocer a la esposa y a los niños de Dan y verdaderamente eran tan encantadores como se decía. Su esposa era angelical y los niños tan tiernos como era posible. Les ayudé a conseguir un apartamento y les llevé alimentos en varias ocasiones. Ellos sinceramente estaban agradecidos y comencé a apreciarlos mucho.

De hecho, esta mujer era consciente y responsable. Cuando la llamaba para ver si tenían alguna necesidad económica, ella declinaba mi ofrecimiento, explicando que había conseguido un trabajo y que podía arreglárselas sola.

Al cabo de dos años Dan salió de la prisión. Sin sorprenderme mucho, recibí una llamada y programamos una reunión.

Dijo que no había podido conseguir un trabajo todavía. Con un poco más de cautela, le sugerí que tomara un trabajo de medio tiempo empacando mercados o cargando muebles –cualquier cosa en donde pudiera conseguir algún dinero para pagar las cuentas y mantenerse a flote.

Estaba indignado. "¡No podría hacer nada por el estilo! Tengo una imagen que cuidar después de todo."

Amablemente le dije a Dan que no podía seguir dándole dinero.

Insistió diciendo que sus hijos necesitaban ropa y su mujer escasamente podía conseguir la comida necesaria. Esto definitivamente golpeó mi parte sensible, pero de nuevo dije que no.

Y saliendo como una tromba de mi oficina, siseó sobre su hombro: ¡Y se llama una cristiana!" Esto fue lo último que supe de Dan.

Como te puedes imaginar, tuve una cantidad de malos sentimientos y varias piedras de indignación de gran tamaño cayeron dentro de mi saco. Había sido victima de un hurto y me sentí decepcionada y embaucada. Sentí mucha lástima por la esposa y los hijos de Dan y por haber sido tan ingenua al propiciar su comportamiento irresponsable. Me indignó que Dan me hubiera utilizado –y a otros, como se supo después- para conseguir dinero con malas intenciones.

A la semana siguiente, aún recordándolo, cierto pasaje de la Biblia sonaba en mi cabeza como si alguien estuviera recostado en el timbre de la puerta de mi casa: "Amad a vuestros enemigos, bendecid a los que os maldicen, haced bien a los que os aborrecen, y orad por los que os ultrajan y os persiguen."[1] Sin duda alguna –llena de rencor me sentí utilizada. De verdad, ¡deseaba que un rayo del cielo le cayera encima!

Aparentemente Dios me estaba dando un curso de repaso sobre una lección que yo creía había aprendido el año anterior. En aquel entonces había sido herida profundamente por un miembro de mi familia que había dicho una cantidad de cosas crueles sobre mi madre y sobre mí. Un día, durante mi tiempo de devocional, oré así: "Dios, no sé qué hacer. No puedo cambiar esta situación. Enséñame cómo responder."

Un poco más tarde vi una Escritura que nunca antes había leído: "En cuanto a mí, que el Señor me libre de pecar contra Él dejando de orar por ustedes."[2]

La verdad es que no había orado por esta persona –ni siquiera había pasado por mi imaginación. Pero por fe comencé a orar y comenzó la sanidad –en nuestra relación y en mi corazón. Una oración continua convirtió mis rocas irregulares de resentimiento en suaves piedras y al poco tiempo se desintegraron y mi saco quedó desocupado.

Actualmente, después de un año, Dios me dio las mismas instrucciones: perdona a Dan y ora por él.

Allí es donde la dificultad para perdonar queda considerablemente atascada.

Con razón muchas personas oponen resistencia cuando se menciona el mandamiento de Cristo de orar por sus enemigos: "¡*Qué* es lo que quieres que haga? ¿Que ore por la persona que me lastimó? Eso es pedir demasiado."

Comprendo este razonamiento. Me enfurecía con solo mencionarlo. Va contra nuestra naturaleza y voluntad. Desde el punto de vista humano, el orar por los enemigos parece imposible. Pera la Biblia dice: "Porque nada hay imposible para Dios."[3] Dios a menudo nos pide hacer cosas contra nuestro modo natural de pensar y sentir.

El mandamiento de orar por aquellos que nos ofenden puede ser confuso y una enorme roca en el camino del perdón. Jesús nos dio el mandamiento, ¿pero qué quería Él decir? ¿Y por qué nos dijo todo esto?

¿Cómo Oramos por Nuestros Enemigos?

Alguien dijo que el perdonar al ofensor es permitir que se aleje el deseo de que le ocurran cosas malas, mientras que la oración es el deseo de que le ocurran cosas buenas. Esto es *parcialmente* la verdad y la dificultad en orar por alguien a menudo surge de una falta de comprensión sobre este punto.

La palabra griega *ágape* traducida como "amor" en el pasaje de Mateo 5 sobre el orar por nuestros enemigos, intrínsecamente significa "un compromiso para buscar lo mejor para otra persona." Lo "mejor" para aquellos que están genuinamente equivocados es que sus corazones se vuelvan genuinamente rectos. Así que no intentemos orar porque nuestros ofensores reciban bendiciones de Dios, tales como más dinero, más poder, más prestigio y todo lo demás. No, estamos para orar por "lo mejor" para esta persona, lo primero significa salvación en Cristo y si esta persona ya es un creyente, que sea transformado en el carácter de Cristo. No oramos para que el Señor prospere esta persona, sino que Él le dé crecimiento y madurez. Oramos para que lo que propició que nuestro enemigo nos lastimara –como orgullo, arrogancia, engaño– vaya hacia Dios a Su manera y a Su tiempo.

Con todo esto en mente, yo comencé a orar:

> *Padre Celestial, sabes que Dan necesita una vida diferente. Necesita un cambio en su corazón, Oro que Tú le des la circunstancia, la persona o lo que sea necesario para que su corazón se ablande. Oro para que Tú lo conviertas en un hombre íntegro –un hombre al que su esposa pueda respetar y sus hijos puedan admirar. Que él reconozca su necesidad de Ti y se vuelva hacia Ti para cambiar su vida. Oro en el nombre de Jesús. Amén*

Me di cuenta que en esta situación –y en otras similares- aquella oración transformó totalmente mi corazón. Vi la *necesidad* de Dan en lugar de su *falta*, como mi madre lo había modelado tan maravillosamente para mi con mi padre. Vi a un hombre con todos sus defectos cuyo corazón podría ser cambiado por Dios. En su vida espiritual faltaba algo que sólo Dios podía darle. Si Dan estaba dispuesto, Dios lo podría cambiar enteramente. Mi oración ayudó a picar las piedras de indignación que tanto pesaban en mi corazón.

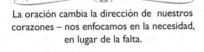

La oración cambia la dirección de nuestros corazones – nos enfocamos en la necesidad, en lugar de la falta.

Cada vez que pensaba en Dan, que lo veía, que lo recordaba, iba a Dios en oración. Como resultado, aquellas oraciones –mirando más allá de su falta y viendo su necesidad- ayudaron a cambiar mi corazón.

¿Cuáles Son los Beneficios de Orar por Nuestros Enemigos?

Ten en cuenta que orar por nuestros enemigos es un mandamiento de Cristo –no es opcional. Dios quiere que oremos por nuestros enemigos de manera que lo mejor de Él pueda ser aplicado a sus vidas.

Nuestros enemigos son como las geodas o cavidades de las rocas rellenas de minerales como el ágata, que se ven rústicos y rugosos por fuera sin aparente belleza –una clase de roca que descartaríamos si la encontramos. Pero Dios sabe el potencial que existe dentro y con el tiempo se puede crear algo extraordinario. Al partir en dos una geoda rocosa, ¿qué encontramos dentro? ¡Cristales!

Existen otras razones por las cuales Jesús también nos dio este mandamiento.

La Oración Nos Aísla de la Amargura

Cuando oramos por el crecimiento espiritual de nuestro enemigo, ocurre un cambio en nuestros corazones. Lo he experimentado personalmente cuando oro, aún si mi enemigo no cambia, *yo cambio*. A través de la oración, nuestras mentes y corazones se alinean con el corazón y la mente de Dios (Ver Apéndice G).

No se puede orar por alguien *consistentemente* –y la palabra clave es consistentemente- sin que crezca un sentimiento de compasión por esa persona. A través de la oración, el Espíritu Santo suaviza las piezas endurecidas de nuestros corazones, el odio se convierte en amor y la amargura se convierte en dulzura. Comenzamos a ver a nuestros enemigos a través de los ojos de Dios.

La oración remueve aquellas aparentemente inamovibles rocas y peñascos en nuestro costal.

El apóstol Pedro escribió: "No devuelvan mal por mal ni insulto por insulto; más bien bendigan, porque para esto fueron llamados, para heredar una bendición." El siguió repasando el Salmo 34: "El que quiera amar la vida y gozar de días felices, que refrene su lengua de hablar el mal y haga el bien; que busque la paz y la siga."[4] Parte de la bendición que heredamos es paz en el corazón y en la mente. Cuando bendecimos a otros con nuestras oraciones, también nosotros somos bendecidos. El Espíritu Santo remueve nuestra amargura de manera que podamos experimentar la bendición de Dios.

La Oración Permite que Seamos Controlados Por el Espíritu, No Por el Ofensor

Cuando Janine me llamó aparte después de que hablé sobre el perdón, ella dijo: " En realidad he tratado de perdonar a mi ex-esposo por haberme traicionado a mí y a nuestros hijos. Nos abandonó hace dos años sin ningún aviso. Luego supimos que había tenido una aventura con una compañera de trabajo quien es diez años menor que él. En la actualidad están viviendo juntos –al menos eso fue lo último que oí."

Janine luchó por contener las lágrimas mientras hablaba, aún con el escozor y el dolor de los peñascos de amargura que la golpearon dos años antes.

"Ha sido un largo camino para no odiarlo más. Y más difícil aún porque él es una persona altiva y dominante. Manejaba la casa con puño de hierro. Totalmente controlador."

Luego ella llegó al punto álgido del asunto: "June, lo he perdonado, pero no he podido lograr que pueda orar por él. Cada vez que recuerdo su cara, al momento de orar, quedo bloqueada totalmente. No puedo seguir."

Hablamos por un rato y traté de animarla pues obviamente tenía problemas para remover sus peñascos. Luego le mencioné algo que ella nunca había considerado.

"Janine, mencionaste que tu esposo era controlador y qué tan difícil había sido esto para ti."

Ella afirmó con la cabeza.

"Bueno, pues parece que *todavía* te está controlando."
Ella frunció el ceño. No le agradó lo que mencioné.

"Cuando retenemos la amargura hacia alguien que nos lastima, le estamos dando poder a esa persona. Las emociones negativas son naturales. El dolor es la respuesta humana cuando somos lastimados. Pero ese dolor nos puede llevar a actuar de una forma que no hemos elegido. Como resultado, permitimos que nuestras acciones sean regidas por la ofensa de la otra persona."

¡Qué libertad podemos tener cuando es Cristo —en lugar de una persona- quien controla nuestros pensamientos y acciones!

Le dije que había oído de muchos casos en los cuales una esposa abandonada se iba a vivir a una ciudad diferente —dejando atrás a sus amigos, trabajo, iglesia —sólo por alejarse del hombre que la traicionó. Él permanece fijo mientras toda la vida de ella se altera. O considere a la persona que es el blanco de habladurías malintencionadas. La víctima decide irse a otro sitio para evitar rumores y dedos señaladores. Mientras tanto el propagador de los chismes permanece estable, probablemente feliz de haber sacado a la otra persona de su camino.

Es entendible por qué estas personas deseen partir –pero aún así, ellas están siendo controladas por el ofensor. Ellas están permitiendo que sus acciones sean moldeadas por la persona que las lastimó.

El mismo principio se aplica a la oración. Cuando nos negamos a orar por nuestro enemigo, le damos poder a esa persona. El ofensor todavía está controlando lo que hacemos. Cada vez que Janine trataba de orar por su esposo, unos sentimientos tóxicos burbujeaban dentro de ella, impidiéndole hacer lo que ella deseaba.

No digo esto para hacerte sentir culpable en caso de que estés luchando para poder orar por tu enemigo. Ninguno de nosotros desea escuchar que nuestro ofensor nos está controlando. El perdón es un proceso y puede tomar un largo tiempo ser capaz de orar por alguien que te ha herido profundamente. Pero comprende que podemos dirigir el control de nuestras vidas hacia Dios y hacer Su voluntad. Podemos aprender a orar, luego perdonar, aún cuando no lo deseemos.

Existe una gran libertad cuando Cristo –en lugar de una persona- controla nuestros pensamientos y acciones.

Oración Sobrenatural: La Historia de Chris

Cinco días antes de Navidad un extraño se acercó a Christopher Carrier, un chico de diez años, comentando que era amigo de su padre.

"Quiero comprarle un regalo y necesito tu ayuda."

Ansioso por ayudarle a este amigo de su padre, Chris se subió a la moto estacionada en la calle.

El conductor llevó a Chris a un potrero lejano, comentando que estaba perdido y le pidió a Chris que mirara en un mapa. De repente, Chris sintió un agudo dolor en su espalda. El extraño lo había apuñaleado con un picahielo. El extraño condujo al chico herido hacia un camino sucio, le disparó en la sien izquierda y creyéndolo muerto lo dejó tirado en las Everglades de Florida infestadas de caimanes.

Chris estuvo sin vida por seis días hasta que alguien que conducía por ese sector lo divisó. Chris sobrevivió milagrosamente a sus heridas, aunque quedó ciego de un ojo. Debido a que no pudo identificar al atacante, la policía no hizo ningún arresto. Por largo tiempo el joven Chris estuvo aterrorizado a pesar de la protección policial.

Más tarde su vida tomó un dramático giro –esta vez fue positivo. Unos amigos lo llevaron a un grupo de jóvenes de la iglesia y allí Chris confió en Jesús como su Salvador.

"Estaba sobrecogido por la emoción porque sabía que nunca había aceptado personalmente al Salvador."

Este giro en la vida de Chris sucedió tres años después del ataque. Después, cuando tenía 15 años, Chris compartió su historia por primera vez. Decidió ejercer un ministerio de tiempo completo y ayudar a otros a encontrar la paz que él había descubierto en Cristo.

Más de una década después, un detective llamó a Chris para decirle que un hombre había confesado el crimen que le había costado su ojo izquierdo – y casi su vida. El nombre del hombre era David McAllister. Chris hizo planes de ir a visitar al frágil y ahora ciego hombre que estaba viviendo en una casa para cuidado de enfermos. El hombre fuerte y robusto que Chris recordaba que lo había secuestrado, era ahora un hombre débil y deshecho de 77 años de edad.

Chris conoció por medio del detective algunos detalles detrás del hecho, que habían ocurrido años antes. McAllister había sido contratado por el padre de Chris para trabajar como enfermero de un tío enfermo. El padre de Chris había sorprendido al McAllister bebiendo en el trabajo, y lo había despedido. El ataque sin sentido hacia Chris había sido motivado por venganza.

Mientras Chris ahora hablaba con el viejo hombre, McAllister negó saber algo sobre el secuestro. Entonces a medida que Chris le revelaba más acerca de sí mismo, el viejo hombre se fue ablandando y eventualmente pidió disculpas.

"Lo que ustedes pensaron para mal, Dios lo ha convertido en una maravillosa bendición". Chris le dijo a su atacante cómo Dios había permitido sus heridas para abrir las puertas y poder compartir las buenas nuevas de Cristo.

Chris volvió a su casa y contó a su esposa y a sus hijos acerca del encuentro que había tenido con el hombre que había tratado de matarlo. Toda la familia empezó a orar por McAllister y a visitarlo caso diariamente en la casa donde vivía. Un domingo, durante la visita de la tarde, Chris le hizo a McAllister la pregunta más importante de todas: "¿Quieres conocer al Señor?" McAllister dijo que sí, y Chris lo guió en oración para salvación.

Unos días después, McAllister murió mientras dormía.

Chris dice que esta no es una historia de arrepentimiento sino de redención. Su historia ilustra el cambio de vida que se produce cuando desocupamos el saco.

"Yo vi a Dios dándole vida a ese hombre, y mucho más. Puedo esperar a verlo nuevamente algún día – en el cielo."

Si eres como yo, tú escuchas historias como esta y piensas: ¿Cómo puede haber en el mundo alguien que perdone y ore por el hombre que intentó matarlo de una manera feroz y despiadada? ¿Cómo es esto posible?

Puedes estar haciéndote estas preguntas en relación con tu propia vida.

Jesús provee la única respuesta con la que puedas contar:"Para los hombre es imposible, mas para Dios todo es posible".[5]

Caminar una milla más en el área del perdón para ser una demanda demasiado grande. Y lo es. Pero Dios nunca nos pide hacer algo sin suplirnos la fortaleza que necesitamos para hacerlo. Si orar por los que nos persiguen te parece muy duro, sólo recuerda: "Para el que cree, todo es posible".[6]

CAPÍTULO 11

La bendición oculta Tras las "Pedradas" de Dios

"Oh Dios, ¿cómo puedes permitir esto?"

CADA DIA, CHARLES estacionaba su carro lechero en el único sitio del barrio donde había un lugar para él: en el lote de gravilla atravesando la escuela de un solo salón, la West Nickel Mines Amish. Los estudiantes lo conocían y él conocía a sus familias.

Charles era un tipo promedio que vivía en una casa corriente, con su esposa Marie y sus tres hijos. Trabajaba en el turno de la noche como conductor de un camión lechero en la comunidad Amish en Pensilvania, recogiendo la leche de las granjas lecheras de la localidad. Los vecinos lo describían como un padre dedicado. Buscaba tiempo para saltar en el trampolín con sus hijos y los llevaba religiosamente a las prácticas deportivas.

Los llevaba al paradero del bus cada mañana. Marie asistía al círculo de oración para madres que se reunían regularmente para pedirle a Dios que protegiera a los niños de la comunidad. Nadie sabía del dolor que Charles sentía. Nadie se imaginaba qué amarguras no resueltas, lo estaban llevando a cometer un acto de violencia indescriptible.

Charles Roberts estaba furioso con Dios –*muy* furioso. Su saco emocional estaba estirado hasta más allá de su capacidad.

Un lunes, octubre 2 del 2006, dejó el camión como de costumbre, a las 3 am y se dirigió a su casa. Más tarde ese mismo día debía ir a la oficina para un control de drogas, una labor de rutina para conductores de tractomulas en Pensilvania. Pero Charles nunca pensó en cumplir su cita. Cuando dejó a sus hijos en el bus escolar aquella mañana, él ya había escrito cuatro notas de suicidio –una por cada miembro de la familia.

De la parada del bus, él condujo a la ferretería para comprar algunos implementos que aún necesitaba. Ya tenía las armas. Necesitaba más sogas de nilón para sujetar a los rehenes.

Poco después de las 10:30 am, Charles entró al edificio de la escuela Amish, con su saco emocional a punto de estallar. Estaba armado con una pistola de 9mm, un revolver y un potente rifle y 600 cartuchos de municiones. Inmediatamente ordenó a los 15 muchachos que se fueran de la escuela, junto con las profesoras de 20 años y otras mujeres adultas que visitaban la clase. Se quedó solo con 10 jovencitas de edades entre los 6 y los 13 años. Las forzó a pararse frente al tablero mientras amarraba sus tobillos. La maestra, Emma Mae Zook, corrió a la granja más cercana para llamar a la policía.

Oficiales de la policía llegaron a la escuela en contados minutos. Cuando Charles los vio, llamó a Marie por el celular. Le habló acerca de las notas de suicidio. Le dijo que no volvería a casa.

Después llamó al 911 y amenazó con matar a las niñas si la policía no se iba en "dos segundos". *Ya raído y completamente estirado, su saco comenzó a romperse...*

El operador intentó mantener la llamada de Charles lo suficiente como para transferir la llamada a los oficiales en la escena, pero Charles colgó y rápidamente cumplió su amenaza. El saco explotó y Charles les disparó a las diez niñas, matando a cinco de ellas. Cuando iniciaron los disparos, la policía irrumpió en el edificio. Charles se disparó a sí mismo fatalmente cuando ellos entraron en el salón.

Por veinte años, Charles guardó el secreto de su culpabilidad oculta que lo atormentaba y enfurecía. Cuando tenía 12 años él manoseaba a dos jovencitas –miembros de su familia. Años después él empezó a tener pesadillas sobre "hacerlo nuevamente".

En el tope de su angustia, en 1997, Charles y Marie perdieron a su primer hijo cuando nació. La pequeña bebé era prematura y vivió solamente 20 minutos. Su muerte destrozó su espíritu y nunca se recuperó. El culpó a Dios por quitarle la corta vida a su bebé.

Nueve años después de esa terrible pérdida, la ira que invadía a Charles finalmente cobró su precio. Esta ira dentro de su saco emocional explotó lanzando piedras puntiagudas que afectaron a toda la comunidad –destrozando vidas. Hizo una fatídica decisión que alteró dramáticamente las de cientos de personas para siempre. Su nota de suicidio empezaba:

(La muerte de la bebé) cambió mi vida para siempre, no he sido el mismo desde entonces. Me ha afectado en una manera que nunca sentí que fuera posible. Estoy lleno de odio, odio hacia mí mismo, odio hacia Dios y siento un vacío inimaginable. Cada vez que estamos haciendo algo divertido, pienso que Elise no está aquí para compartir con nosotros y vuelve a mí la ira. [1]

¿Dónde estaba Dios?

Los hechos que sucedieron esa mañana dejaron a toda la nación en estado de shock. Era la tercera masacre escolar que ocurría en el término de una semana. Pero esta vez era diferente. Es difícil imaginar un ambiente más pacífico y protegido que la escuela Amish. Gente profundamente religiosa, los Amish rechazan la tecnología moderna incluyendo la televisión, carros y electricidad. Ellos viven a propósito una vida simple, un estilo de vida agrícola que los aísla del frenesí de la vida moderna llena de caos y violencia.

El pensar que un asesino en masa invadiera tan inocente comunidad era demasiado, aún para los americanos insensibles a la violencia gracias a la horrible dieta de noticias y "entretenimiento". Por todo el país, la gente inmediatamente empezó a hacer la gran pregunta: "¿Por qué? ¿Dónde estaba Dios? ¿Cómo pudo permitir que una cosa tan horrible sucediera?" ¿Por qué Dios no detuvo la ira en el saco de Charles para que no explotara tan violentamente?

Todos –incluyendo los cristianos- querían saber cómo este asesinato absurdo de las jovencitas de esta escuela encajaba con la visión de Dios como un Padre amoroso y protector.

Irónicamente, el contenido en las notas de suicidio de Charles sugiere que él se hacía las mismas preguntas. Él se preguntaba por qué Dios le había quitado a su inocente bebé años atrás. Él culpaba a Dios por su dolor y remordimiento. La ira destrozaba su mente y grandes peñascos de amargura disparaban atrocidades que despedazaban corazones.

Maldad y Sufrimiento: ¿Por Qué?

He perdido la cuenta de la cantidad de veces que la gente me ha dicho: "¿Cómo puede permitir Dios que esto suceda? ¿Dónde estaba Él? ¿Por qué no intervino?" Por fortuna la mayoría de la gente lastimada y herida no permite que la amargura los consuma de la misma manera que la angustia de Charles lo consumió. Pero aún así, mucha gente está profundamente amargada, aguantándose y a punto de estallar de ira hacia Dios, convencidos de que Él pudo y debió protegerlos del daño a ellos o a alguien que amaban.

> Hacer a Dios responsable por nuestro dolor es tanto improductivo como poco sabio.

Aunque ellos no van tan lejos como para decir que Dios "pecó" al no advertirles una tragedia, culpan a Dios, dejando peñascos de amargura incrustados por toda la vida. Sutil o abiertamente ellos hacen a Dios responsable, pensando: Tú no debiste haber hecho que esto tan terrible ocurriera, pero Tú lo permitiste –y esto es muy malo. Hubo un tiempo en el que yo tuve pensamientos similares y tú debes haber tenido estos pensamientos también.

Para que ocurra una verdadera sanidad necesitamos repensar lo que creemos acerca del propósito y la naturaleza del sufrimiento y de la soberanía de Dios en nuestras vidas. Nuestros conceptos equivocados nos roban la oportunidad de crecer a través de los tiempos de dificultad y dolor. Hacer a Dios responsable por nuestro dolor es tan equivocado como improductivo. Es tan dañino como negarse a perdonar a una persona –tal vez aún más. Ver a nuestros vecinos como crueles e injustos es una cosa, pero ver a Dios de esa manera destruye nuestra esperanza en la vida y nos lleva a un profundo desespero.

¿Por qué Dios Nos Dio Libre Albedrío?

Dios pudo haber creado un mundo sin sufrimiento. Él pudo haberlo poblado con copias exactas de Sí mismo, "clones" que no hicieran ningún daño ni causaran nunca problemas, sin codicia, ni malicia, ni adicciones, ni celos, ni odio. Entonces nadie jamás preguntaría: "¿Cómo un Dios amoroso puede permitir algo tan horrible?"

Pero Dios no lo hizo así porque en un mundo así, nada *podría* suceder. Seríamos como marionetas de Dios, Él parado encima de nosotros y halando nuestras cuerdas. Haríamos todo lo que Él quiere, solamente porque no podríamos hacer otra cosa. Dios no sería más que un inventor de robots que tiene chips de computador para predeterminar cada una de nuestras respuestas. Esto con certeza sería seguro... pero también predecible y programado.

Así no es el mundo que Dios creó. Cuando Él hizo a la gente, no quería clones, marionetas o robots. Él creó personas con las cuales pudiera tener una relación personal. Creó personas pensantes y creativas con quienes Él pudiera interactuar a través de la eternidad. Para lograr esto, decidió añadir a nuestro ser, el más peligroso ingrediente: libre albedrío. Para bien o para mal tenemos que decidir cómo vivimos.

Fuimos hechos a la imagen de Dios y tenemos la capacidad y el potencial para ser como Él pero no hay garantía de que lo hagamos. Algunas veces las personas eligen bien; otras veces mal. Cada vez que alguien elige amar en vez de odiar o tener misericordia en vez de vengarse, el bien se multiplica y el mundo es un mejor lugar. Pero libre albedrío significa que las personas son libres para hacer malas decisiones. Esto permite que el pecado y la rebelión se multipliquen, lo cual siempre resulta en dolor y sufrimiento. Algunas veces somos víctimas de las malas decisiones de otros. Con frecuencia esto nos sorprende, pero no debería. Dios nunca nos prometió una vida sin sufrimiento. La Biblia dice: "No os sorprendáis del fuego de prueba que os ha sobrevenido, como si alguna cosa extraña os aconteciese."[2] Cuando se trata de crecimiento espiritual, las "pruebas dolorosas" son el lugar donde se hace el trabajo verdadero.

El pulimiento es el proceso por medio del cual se limpian las rocas con un poderoso chorro de arena a presión. Lo que parece dañino o perjudicial para las rocas de hecho obra para refinarlas y pulirlas. Dios usa "grandes" pruebas –partículas de arena enormes y abrasivas y "pequeñas" pruebas –partículas más suaves y lisas, para refinar y pulir nuestro carácter.

Cuando Tom llamó a *Esperanza en la Noche*, al poco tiempo de haber llevado a su hermana Sophie de 17 años del hospital a la casa, relató la dolorosa tragedia que tuvo que pasar. Ella apenas había sobrevivido a una sobredosis de su último consumo de droga. Tom y su esposa estaban devastados y profundamente conmocionados.

"He sido cristiano por 20 años, pero en este momento ¡no comprendo del todo a Dios! He orado a Él para que proteja a Sophie cada día desde que ella nació. ¿Dónde ha estado Su protección en todo esto? Yo he sido fiel pero ahora me parece que Él no lo ha sido."

Le aseguré a Tom que sus sentimientos eran normales –y una respuesta natural a una situación que rompe el corazón. Después añadí: "Dios *es* fiel, aún cuando no siempre lo veamos así. Y sólo porque le pedimos a Dios Su protección, no significa que cosas malas no nos vayan a ocurrir."

Tom estaba en silencio en el otro lado de la línea, y yo sabía que él estaba reflexionando sobre esto.

"Las personas son libres de tomar malas decisiones en cualquier momento. Dios sufre por nosotros cuando cometemos errores que nos hieren, o cuando otros cometen errores que nos lastiman. Él no siempre nos protege *físicamente* –después de todo, Él decidió no intervenir cuando Su único Hijo fue crucificado. Pero Él nos protege emocional y espiritualmente. Protege nuestros corazones y siempre nos da esperanza de una completa sanidad *emocional* y *espiritual*."

Le dije a Tom: nosotros podemos tener libre albedrío como humanos o ser programados con protección a toda prueba como robots, pero no ambas cosas. No podemos ir en las dos direcciones. Al darnos libre albedrío y la posibilidad de tomar malas decisiones –o que otros tomen malas decisiones- Dios nos da un precioso regalo: la oportunidad de crecer, madurar, adquirir sabiduría, para reconocer nuestra total dependencia de Él.

Muchos meses después Tom me contó el siguiente capítulo de su historia familiar. Antes de su experiencia con las drogas, Sophie les había dicho a sus padres desafiantemente que estaba enferma de sus creencias y valores "pasados de moda". Ella tenía el derecho, insistía, en tener sus propias opiniones acerca de las drogas, alcohol, sexo y todo lo demás.

Pero después de la sobredosis y de estar a punto de morir, ella decidió que sus padres no eran pasados de moda como ella lo había pensado. De hecho ella se había unido a un grupo en un campamento que advertía a los muchachos acerca del peligro de las drogas y se volvió a conectar con el grupo de jóvenes de su iglesia. Una noche de dolor y temor le enseñó a Sophie lo que miles de lecciones de sus padres nunca hubieran podido enseñarle y los bordes filosos se suavizaron.

"Ella es mucho más fuerte emocional y espiritualmente que lo que era antes de este incidente espantoso. Dios protegió su corazón después de todo. No quisiera volver a pasar por ese desastre nuevamente, pero ahora que estamos al otro lado, me alegro de que haya sucedido."

¿Puede el Dolor Tener un Propósito Más Alto?

La razón principal por la que vemos el sufrimiento como injusto – y culpamos a Dios por él – es que no comprendemos el *propósito* de la vida. Vivimos en una cultura de comodidad. Creemos que es nuestro derecho innato el vivir felices, saludables, prósperos, vidas cómodas. El dolor de cualquier clase es nuestro peor enemigo.

Las solas ganancias de los laboratorios farmacéuticos revelan por sí mismas el lugar prioritario que ocupa una existencia libre de dolor, sin mencionar las ventas de alcohol y el consumo de sustancias ilegales utilizadas para insensibilizarlo. Llenamos nuestras casas con todas las comodidades. El mundo que hemos construido es antiséptico, con aire acondicionado y autómata.

No hay intrínsecamente nada malo en este estilo de vida. El problema surge cuando hacemos de la comodidad la meta y ambición de nuestra existencia. La comodidad nunca debe ser nuestro propósito. C.S. Lewis dijo: "Si buscas la verdad puedes encontrar comodidad al final; si buscas comodidad no vas a encontrar ninguna de las dos: ni comodidad ni verdad –para empezar solamente un jabón suave y buenas intenciones y al final, desesperación."[3]

Es claro que la agenda de Dios es totalmente diferente de la nuestra. Él está en el negocio de "formar almas", enseñándonos a ser como Él y en ciertos momentos, asumiendo el papel de Maestro Pulidor. Dios nos dio la libertad para elegir cómo vivir, y siempre desde Adán y Eva, elegimos el camino de la rebelión y somos propensos a lo mismo. Dios nos ha perdonado, pero también desea reconciliarse con nosotros. Para que esto pase, debemos aprender a hacer una elección diferente. Debemos ver por nosotros mismos que algo no está bien en el mundo. Éste no funciona en la manera en que Dios desea.

Para retroceder el curso se requiere una transformación radical. Como cualquier reacción química poderosa, se necesita calor, presión y un catalizador para iniciar la reacción en cadena. El dolor puede proveer estas cosas. Philip Yancey escribió:

> C.S. Lewis introdujo la frase "dolor, el megáfono de Dios". "Dios nos susurra en nuestros placeres, nos habla en nuestra conciencia, pero nos grita en nuestras penas," dijo; "es Su megáfono para despertar al mundo sordo." La palabra megáfono es muy a propósito, porque por su naturaleza el dolor grita. Cuando me golpeo un dedo o me disloco un tobillo, el dolor con mucho ruido anuncia a mi cerebro que algo anda mal. De manera similar, la existencia del sufrimiento en esta tierra es, creo yo, un grito de todos nosotros de que algo anda mal… Nos detiene en el camino y nos fuerza a considerar otros valores.[4]

Pero ¿por qué el dolor tiene que doler tanto? ¿No puede Dios detenernos en nuestros caminos de una manera más fácil? Probablemente no. Porque si Él pudiera, lo haría. Investigadores han descubierto que el dolor es, como Yancey dice "el regalo que nadie quiere". Odiamos el dolor, pero sin él nos haríamos aún más daño.

Esto fue confirmado en un estudio que se hizo acerca de la lepra. Por siglos hemos sabido que los leprosos sufren de deformidades repugnantes que empeoran a medida que progresa el mal. Esto ampliamente describe cuánto temor ha producido a través de la historia. Pero lo que la gente no supo por un largo tiempo es que las partes que faltaban del cuerpo de un leproso no eran el resultado de la enfermedad en sí. En vez de esto estas resultaban del daño que los enfermos inadvertidamente se inflingían a sí mismos.

> El dolor es parte del sistema vital de alarma que nos ayuda a recuperarnos de nuestras heridas –y evita unas peores.

¿Por qué? Porque la lepra destruye la habilidad de las personas para sentir dolor. Los leprosos frecuentemente ponen sus manos en agua hirviendo sin sentir el calor. Sin sentir dolor, experimentan quemaduras severas y ampollas. Cuando se dejan sin tratar se presentan infecciones severas, que después resultan en perder los miembros –dedos, dedos de los pies, manos y pies.

El doctor Paul Brand, un médico que invirtió su vida trabajando con leprosos y vio los efectos debilitantes de la falta de dolor, dijo con entusiasmo: "¡Gracias a Dios por inventar el dolor!"[5]

En otras palabras, el dolor no es un mal que debemos evitar a toda costa. Es parte del sistema vital de alarma que nos ayuda a recuperarnos de nuestras heridas –y evita unas peores. Más aún, es necesario que el dolor *realmente* duela, o ignoraríamos su mensaje y perderíamos su efecto refinador.

Job conocido por su paciencia en el sufrimiento, estuvo muy familiarizado con el propósito divino del dolor. "Él conoce mis caminos; si me pusiera a prueba, saldría yo puro como el oro."[6]

En el caso del dolor físico, el punto es obvio. Si me rompo un brazo y no me atiende un especialista, no sanará apropiadamente y tendré mayores problemas después. El principio es tan cierto como en la experiencia del dolor emocional o quebranto psicológico. El dolor es un mensajero que nos advierte que algo necesita "arreglarse". Necesitamos al Gran Médico que repare nuestros corazones rotos y que en ocasiones le haga cirugía a nuestras emociones lastimadas para que podamos experimentar una total sanidad.

El Dolor como Estímulo para la Sanidad: La Historia de Dolores

Dolores, quien ahora está en sus cincuentas, llamó una noche a *Esperanza en la Noche* porque estaba cansada de lidiar con una herida emocional que no quería sanar. Cuando joven, sus padres eran sumamente pobres y no tenían esperanza de enviar a sus cuatro hijos a la universidad. Dolores deseaba vehementemente estudiar medicina veterinaria. Como hija mayor se sentía con derecho de recibir educación. En la escuela siempre lograba las mejores notas y se probó a sí misma que era una estudiante brillante y diligente.

Los padres de Dolores eran inmigrantes con ideas anticuadas sobre el desempeño de la mujer en la sociedad. Su hermano menor fue el elegido para ir a la universidad, mientras que ella permanecía en casa. Dolores quedó tan desilusionada y descorazonada que puso una roca de resentimiento contra su hermano en su saco emocional. Nunca olvidó esa injusticia y la retuvo contra su hermano por años, aunque sabía que él no tenía la culpa.

"Finalmente ingresé a la escuela lo que me dio seguridad. Pero desde ese día no he podido estar cerca de mi hermano sin sentir ese horrible dolor que experimenté el día en que él se fue de la casa. Yo sé que esto es irracional, pero así es como me siento."

Este dolor persistente sirvió como un llamado de Dios a Dolores para perdonar. Al darse cuenta de esto, ella dio pasos para hacer las paces con su pasado y con su hermano. Esto requirió de varias conversaciones, pero los dos pudieron quitar la hostilidad del pasado que los dividió por tanto tiempo.

Como resultado, el saco emocional de Dolores llegó a estar tan "liviano como una pluma."

Ya que la nuestra es una cultura de comodidad, pocos de nosotros llegamos tan lejos como el Dr. Brand a decir: "¡Gracias Dios por inventar el dolor!" Pero el apóstol Pablo fue aún más lejos. Él consideró que el conocimiento que obtenemos por medio del sufrimiento es tan valioso que nos dice que estemos felices de él:

> *También nos regocijamos en nuestros sufrimientos, porque sabemos que el sufrimiento produce perseverancia; la perseverancia, entereza de carácter; la entereza de carácter, esperanza. Y esta esperanza no nos defrauda, porque Dios ha derramado su amor en nuestro corazón por el Espíritu Santo que nos ha dado.*[7]

En otras palabras, nuestro sufrimiento nunca es en vano. Su propósito es producir resistencia, carácter, esperanza y amor. Nos da la oportunidad de aprender, madurar y mejorar. Por lo tanto el sufrimiento vale la pena. En lugar de preguntar: "¿Cómo pudo Dios permitir que esto pasara?" sería mejor preguntar: "¿Cómo puedo aprovechar este dolor y utilizarlo para ser más como Cristo? ¿Qué debo hacer para sanar estas heridas?" En otras palabras, ¿Cuál es la razón de este dolor?

El cambiar la amargura y el culpar a otros por sanidad y esperanza puede tomar un largo tiempo. Algunos de nosotros hemos sufrido ofensas implacables y años de horrible abuso. Si así ha sido, debemos medir nuestro progreso milímetro a milímetro. Afortunadamente tenemos permiso para tomarnos nuestro tiempo. Dios conoce aún el más pequeño paso que damos para librarnos del resentimiento en nuestro camino hacia la libertad. Aún es progreso el cincelar las rocas de dolor.

¿Cuál es el componente principal de la fe?

El hecho de que tengamos éxito, depende de nuestra voluntad para ejercitar nuestra fe en Dios, *confiando* en Él aún cuando tengamos que utilizar cada onza de energía y agarrarnos al hilo más delgado.

El hecho es que nunca comprenderemos el propósito más alto, que Dios tiene en mente para nuestro sufrimiento, o veremos que nuestro dolor lleva fruto. Pero nuevamente, llenar nuestros sacos con rocas, piedras y peñascos nunca es parte del plan de Dios –para ninguno de nosotros.

Algunas veces las palabras alentadoras de Pablo deben simplemente asumirse por fe: "Y sabemos que a los que aman a Dios, todas las cosas les ayudan a bien, esto es, a los que conforme a su propósito son llamados."[8]

Esto es fácil decirlo a una distancia segura. Algunas veces es más fácil recitarlo que aplicarlo. Volvamos de nuevo a Job, quien es un modelo de confianza en Dios aún en medio del más intenso sufrimiento. Este insospechado hombre fue golpeado con cada tragedia imaginable. Perdió a su familia, su fortuna y su salud. Su situación era tan mala que su esposa le reprochó: "Maldice a Dios y muérete." Sus amigos se sentaron en la tierra con él durante siete días y siete noches sin decir una sola palabra, tan grande era su sufrimiento. Cuando ellos hablaron, lo culparon: *Tu calamidad es por causa de tu pecado.*

Al final, después de derramar su amargura ante Dios, Job solamente tenía una esperanza para sostenerse en pie. Su fe en el carácter y bondad de Dios. Él dijo: "Yo sé bien que Tú lo puedes todo, que no es posible frustrar ninguno de tus planes... de oídas había oído hablar de Ti, pero ahora te veo con mis propios ojos. Por tanto, me retracto de lo que he dicho, y me arrepiento en polvo y ceniza."[9]

Por medio de todo este sufrimiento, Job pasó de oír acerca de Dios, para ver a Dios y finalmente a experimentar a Dios en un compañerismo más profundo.

Culpar a Dios por nuestro sufrimiento nos hace mirar hacia atrás y enfocarnos en nuestro dolor. *Confiar* en Dios nos hace mirar hacia delante y enfocarnos en Su plan. Al confiar, asumimos que Dios realmente tiene un propósito –uno que siempre es para nuestro bien- ya sea que podamos verlo o no.

> Culpar a Dios por nuestro sufrimiento nos hace mirar hacia atrás y enfocarnos en nuestro dolor. Confiar en Dios nos hace mirar hacia adelante y enfocarnos en Su plan

Una antigua historia china nos recuerda que no somos lo suficientemente sabios como para saber cómo Dios lleva a cabo los planes en nuestra vida. Había una vez un hombre que vivía en el campo con su único hijo. Ellos eran simples campesinos que se ganaban la vida en una pequeña granja. Un día su único caballo se escapó. Ahora, sin un caballo, ellos tendrían que hacer todo el trabajo de la granja a mano.

Todos los vecinos se reunieron y dijeron: "Eso es terrible."

Pero el hombre ya había vivido bastante y había aprendido una o dos cosas acerca de los caminos de Dios.

"¿Cómo lo saben?" Él les preguntó.

Al día siguiente, ocurrió un milagro. El caballo que se había perdido regresó y trajo consigo diez caballos salvajes. El hombre y su hijo se volvieron ricos de repente, de acuerdo con el promedio de los campesinos.

"¡Eso es maravilloso!", dijeron los vecinos en la fiesta de celebración.

El viejo agarró su barba y dijo: "¿Cómo lo saben?"

Al siguiente día, el hijo trató de montar uno de los caballos salvajes. Se cayó al piso y se quebró una pierna. El padre estaba muy viejo para amansar a los animales por su cuenta, así que su buena fortuna se desvaneció tan pronto como había llegado.

Los vecinos lo visitaron llevándole flores y alimento. "¡Eso es terrible!", dijeron ellos.

Ellos no comprendieron al hombre cuando dijo otra vez: "¿Cómo lo saben?"

Al día siguiente, todo el pueblo se fue a la guerra. Todos los hombres con cuerpo saludable fueron enviados a la batalla y solamente uno de diez, volvió a casa. Por su pierna rota, el hijo se libró.

El antiguo cliché "Dios obra de maneras misteriosas" nunca es tan cierto como cuando tratamos de entender nuestro sufrimiento. Pero por el hecho de que el propósito de Dios es a veces misterioso, no significa que Él no tiene un propósito. Nada escapa de Su atención u ocurre fuera de Su control.

Fe en Acción: La Historia de las Minas de Níquel

En octubre de 2006, los ojos del mundo se dirigieron a aquella remota escuela de un solo salón en Pensilvania. Con su manera típica, los medios de comunicación contaron una y otra vez la historia de Charles Robert, arrasando con todo detalle atroz y sensacionalista. A pesar de esto, otra parte de la historia que no podía ser ignorada surgió rápidamente.

La mayoría de la gente reaccionaría ante aquella atrocidad en sus comunidades con ira vehemente y venganza – al menos al principio. Pero las personas Amish de la Minas de Níquel eligieron caminar en un sentido diferente. Un periodista escribió un reflexivo artículo titulado: "Lo que los Amish les están enseñando a América":

> La tarde de la tragedia, los vecinos Amish de la comunidad de las Minas de Níquel se reunieron para procesar el dolor entre ellos y con consejeros en salud mental... Pero una pregunta que hicieron nos debe sorprender a los de afuera. Lo que ellos se preguntaban era, ¿Cómo podemos ayudar a la familia del hombre que disparó? Estaban preparando hacer una caravana para visitar a la familia de Charles Carl Roberts y llevarle alimento y condolencias. Al parecer los Amish no convierten automáticamente su sufrimiento en venganza. En lugar de esto, ellos creen en la redención. [10]

Los padres, parientes y los miembros de la comunidad que se reunieron esa noche no eran super humanos. Ellos sintieron el golpe del dolor por su pérdida tan profundamente como cualquiera de nosotros lo hubiera hecho. A diferencia de Charles, sin embargo, ellos no culparon a Dios ni golpearon con sus puños el cielo, exigiendo saber por qué había ocurrido esto.

Ellos se rehusaron a recoger las piedras para lanzarlas. En lugar de esto, ellos dependieron del amor de Dios para ser fortalecidos.

Confiaron en la habilidad de Dios para usar su dolor hacia un propósito más alto. Esto era suficiente para detener el curso de su amargura. La gente que más ha perdido, escucha la voz de Dios a través del "megáfono del dolor", y sus acciones subsiguientes vienen a ser un poderoso ejemplo de la gracia, amor y redención de Dios para que todos lo vean.

La comunidad Amish resplandece brillantemente como un diamante, reflejando al Dios de toda gracia. Cuando nos damos cuenta de que Dios no es culpable de nuestro sufrimiento y cuando confiamos en Sus propósitos para el dolor en nuestras vidas, nosotros también brillaremos.

Diamantes en Bruto

El diamante –la sustancia natural más dura que se ha conocido en el mundo- es considerada por muchos como la más valiosa de las posesiones por su esplendoroso brillo. Famoso por esparcir destellos radiantes de luz, ha adornado reyes y reinas a pesar de su crudo origen.

Los diamantes se encuentran en forma natural en depósitos de carbón incrustados bajo la superficie de la tierra. Toma años de intensa presión y altas temperaturas para que el carbón sea transformado en un hermoso diamante.

Como a ti, el Maestro Joyero planeó con anterioridad cómo utilizaría la temperatura y la presión de la injusticia en tu vida. Pero las ásperas piedras de resentimiento, profundamente enterradas en tu corazón, pueden interferir con la obra de Dios y detener el proceso de transformación.

En la medida en que tu cavas profundamente para remover esas rocas y se las entregas al Redentor, Él las tallará y transformará en deslumbrantes diamantes. Después ellos se convertirán en un brillante testimonio de Su propósito a través del dolor –ya no serán diamantes en bruto.

CAPÍTULO 12

Enterrado bajo las rocas de la Melancolía

Cuando la persona a quien necesitas perdonar eres tú mismo

ESTAN AGOTADOR COMO... CARGAR una mochila llena de ladrillos para donde quiera que vayamos. El peso extra hace que el trabajo que tenemos a cargo sea aún más pesado.

La Misión, una película de cine que ganó el premio de la Academia, es la historia de la vida de Rodrigo Mendoza, un hombre cuya culpabilidad se hizo tan grande que decidió cargar con ella – literalmente.

Como mercenario y negociante de esclavos en el siglo dieciocho en Brasil, Mendoza despiadadamente cazó personas nativas como si fueran animales y los vendió a los dueños de las plantaciones. Para él la promesa de encontrar oro justificaba la crueldad. El momento en que lo vemos en la película, sus ojos reflejan un corazón duro y frío.

Durante una prolongada expedición para capturar esclavos, la mujer a quien él ama, se enamora de otro hombre – su hermano Felipe. Al escuchar la noticia, Mendoza lo mata en un arranque de celos. Ya que la pelea fue un duelo de honor, el queda inmune a la ley. Aunque él sabe que la ley de Dios no le ofrece tal tipo de protección.

Fuertemente golpeado por la culpabilidad por todas las ofensas que había cometido, Mendoza se retira a un monasterio jesuita, convirtiendo su pequeña habitación en su propia prisión. Ahí intentó pasar el resto de su vida en una penitencia de dolor y aislamiento.

Cuando llega el Padre Gabriel, un sacerdote jesuita cuyo trabajo es construir una misión entre la remota aldea de los indios guaraníes, la misma tribu que Mendoza había atacado repetidas veces para atrapar esclavos y éste escucha acerca del extremo remordimiento que tenía Mendoza por lo que había hecho, él vio una oportunidad para redimir una vida que iba mal. Le suplicó a Mendoza que regresara a la selva, esta vez para ayudar a los indios que una vez había cazado. Le dijo que había una salida.

Mendoza rechazó la idea de la redención, diciendo que no había penitencia que fuera lo suficientemente dura para él. Gabriel no argumentó si había una penitencia "lo suficientemente dura" para limpiar la conciencia de Mendoza. Él sabía muy bien que no la había –sólo la gracia de Dios podía hacerlo. Pero sintió que si Mendoza lo intentaba, Dios encontraría una manera de convertir su culpabilidad en libertad. Gabriel le dice a Mendoza que su búsqueda es una "carga de libertad."

Su difícil viaje hacia la misión es arduo y peligroso. Una jungla densa, el escalar riscos y cientos de cataratas, son obstáculos en el camino de Mendoza hacia la redención. Para "pagar" por sus pecados, él debe arrastrar cien libras de armamento español. Sin importar cuántas veces cayera, o cuán lejos se deslizara por el barro, él tercamente se volvía a levantar sin dejar su cargamento.

Finalmente llegan a la misión. Los indios están emocionados al ver a Gabriel y empiezan la bienvenida.

Después ellos ven a Mendoza cubierto de barro y halando el saco de armamento.

Claramente él ya no es una amenaza para ellos. Exhausto por el viaje y el peso de su carga –tanto interna como externa- él cae de rodillas frente a ellos. Durante años él les había robado su juventud, dispersado a sus familias y robado su paz y seguridad. Ellos tenían muchas razones para odiarlo.

Uno de los indios agarró un cuchillo y lo colocó en la garganta de Mendoza. El antiguo negociante de esclavos no retrocedió. Estaba preparado para aceptar el castigo que se merecía. Uno de los sacerdotes quiso intervenir, pero Gabriel lo detuvo. Él sabía que había llegado el momento de verdad para Mendoza.

Entonces, en un vívido retrato de la gracia de Dios, el hombre toma el cuchillo de la garganta de Mendoza y lo utiliza para cortar las fuertes sogas que lo ataban a su carga de "pecado". El indio patea el saco desde el borde del precipicio y todos lo ven caer y finalmente destrozarse en el fondo del profundo barranco bien lejos de ellos. Mendoza comienza a sollozar incontrolablemente soltando finalmente el torrente de emoción contenida. Los indios se reúnen alrededor de él y lo consuelan tocándole su cabeza mientras él llora.

Esta escena es análoga a la libertad de la culpabilidad que tenemos, cuando Jesús quita el saco cargado de pecado de nuestras espaldas y lo arroja lejos de nosotros "en lo profundo del mar."[1] para nunca más volver a verlo.

Como Pablo escribió: "No hay ninguna condenación para los que están unidos a Cristo Jesús."[2] Debemos pensar en esto como la cláusula de "no condenación "en nuestro nuevo pacto con Dios, hecha posible solamente por la sangre de Cristo derramada. Hemos sido perdonados por todas nuestras ofensas pasadas y aún por las futuras-somos *totalmente libres*, tal como Mendoza lo fue cuando le cortaron las sogas que lo amarraban y literalmente fue librado del peso de su carga.

Tal como Gabriel le dijo a Mendoza, Dios también nos ha dado la "carga de la libertad". Esto significa que este incomparable regalo es nuestro solamente si lo *aceptamos* y así mismo asumimos la responsabilidad que viene con él. Mendoza era libre para rechazarlo. Él podía haber rechazado la gracia ofrecida para él y bajar al barranco para recoger su penitencia otra vez.

De hecho, he aconsejado a muchas personas que han hecho esto. Ellos han decidido aferrarse a su culpabilidad. Para sorpresa nuestra, perdonarnos a nosotros mismos no es siempre tan fácil. Algunas veces es más difícil que perdonar a otros. Debemos aprender a perdonarnos a nosotros aún cuando no lo sintamos o sintamos que no lo merecemos. Debemos despojarnos lentamente de los escombros de lamento que quieren aplastarnos.

¿Cómo superamos la culpabilidad?

A través de los años he desarrollado la *Biblioteca de Consejería Bíblica* con cerca de 100 diferentes temas. Uno de ellos es cómo tratar positiva y efectivamente con nuestra culpa, y permitirle a Dios aplicar la obra completa de redención en nuestras vidas que Él lo logró en el Calvario. Considera este poderoso acróstico con la palabra F-O-R-G-I-V-E-N que es la palabra inglesa para PERDON:

F   De la palabra *Find* que significa:
         Encuentra *la fuente de tu culpa*

Rodrigo Mendoza sabía exactamente de dónde provenía su culpa. Éste era atormentado por los recuerdos de sus malas acciones pasadas. Eso es verdadera *culpa*.

Por extraño que parezca, la verdadera culpa es nuestra amiga; se presenta únicamente por lo que hemos hecho. Así como la fiebre es una señal de que en nuestros cuerpos hay algo que anda mal, la verdadera culpa es una señal de alerta espiritual. Nos dice que nuestros pecados están encubriendo lo que somos, *hijos de Dios* y lo que estamos llamados a hacer, *reflejar Su imagen*.

> La falsa culpa nos causa una profunda sensación de falta de valor – completamente opuesto a como Dios nos ve.

También hay una *falsa culpa*, basada, no en acciones específicas, sino en haber sido avergonzados por lo que somos. La falsa culpa viene de percibirnos básicamente como defectuosos. Esta surge cuando no podemos dejar de culparnos aún cuando no hayamos hecho nada malo o aunque hayamos confesado y nos hayamos apartado del pecado. Esta vergüenza sin ningún fundamento causa una profunda sensación de falta de valía – completamente opuesta a como Dios nos ve.

En el siglo diecisiete, Bishop Robert South dijo: "La culpabilidad roe e invade la conciencia, tal como el óxido sobre el hierro que lo corroe y lo consume y lo que esto finalmente hace es destruir el verdadero corazón y sustancia del metal."[3]

Esta clase de culpa tóxica es nuestro enemigo y ciertamente no es la voluntad de Dios. Su propósito en la culpa es corregirte y edificarte, no destruir tu corazón ni incapacitar tu alma y espíritu. La Biblia dice: "La tristeza que proviene de Dios produce el arrepentimiento que lleva a la salvación, de la cual no hay que arrepentirse, mientras que la tristeza del mundo produce la muerte."[4]

Cuando luchas con sentimientos de culpa, empieza por discernir la diferencia entre amigo y enemigo. Reconoce tus pecados con honestidad, pero rechaza la tentación de verte a ti mismo como defectuoso y sin ningún valor.

¡Saca desde el fondo ese arrume de piedras de lamento!

 De la palabra *Own*
(que significa tu propia responsabilidad)
Acepta tu responsabilidad por el pecado

Una vez que conoces la fuente de tu culpa, el paso siguiente es confesarla: arrepentirte y confesar la ofensa. Johann Christoph Arnold escribió:

> *La culpa obra en secreto, y pierde su poder solamente cuando se le permite salir a la luz. A menudo nuestro deseo de mostrarnos rectos nos impide admitir nuestros errores. ¿Por qué no aceptar una tonta decisión o un error tonto? Sin embargo lo que ocurre es que entre más tratamos de empujar esas cosas hacia la parte de atrás de nuestra mente, más nos invaden aún inconscientemente.*
>
> *Finalmente, la culpa se añadirá a más culpa y quedaremos arrinconados y abrumados.* [5]

Arrepentirse significa cambiar tu manera de pensar –estar de acuerdo con Dios en que has pecado. Cuando lo haces la respuesta de Dios está garantizada: "Si confesamos nuestros pecados, Dios que es fiel y justo, nos perdonará y nos limpiará de toda maldad."[6]

Entonces ¿por qué algunas veces persisten los sentimientos de culpa, aún después de haber confesado tu pecado a Dios y haber aceptado Su perdón? Puede ser que también necesitas reparar el daño que tu ofensa ha causado. Hasta entonces, no podrás ser completamente libre.

Jesús dijo."Si estás presentando tu ofrenda en el altar y allí recuerdas que tu hermano tiene algo contra ti, deja tu ofrenda allí delante del altar. Ve primero y reconcíliate con tu hermano; luego vuelve y presenta tu ofrenda."[7] Confiesa tus pecados. Después devuélvele a aquellos a quienes has lastimado. Cuando lo haces le quitas a la culpa su poder y propósito –y morirá como fuego sin combustible.

Arrepentimiento y restitución ¡evitará que se acumulen aquellas rocas de lamento!

R De la palabra *Realize*:
Ten en cuenta que Dios hace lo que Él dice

Antes de que Mendoza y el sacerdote llegaran a la misión donde el indio lo liberó para siempre de su carga, uno de los hermanos no podía soportar ver su sufrimiento por más tiempo. Él cortó la soga que lo ataba a su saco de armamento y éste cayó al fondo de uno de los barrancos por el cual él había subido. Sin una sola palabra, Mendoza volvió a bajar y la recuperó. Más tarde el sacerdote que había cortado el saco se acercó al padre Gabriel para apoyarlo. Gabriel replicó que aunque Mendoza pensaba que su penitencia había sido suficiente, nadie sería capaz de hacerlo pensar de otra manera.

El perdón de Dios es libre –y *suficiente.* No puede comprarse con ninguna cantidad de penitencia. La Biblia dice: "En Él tenemos la redención mediante Su sangre, el perdón de nuestros pecados, conforme a las riquezas de la gracia que Dios nos dio en abundancia con toda sabiduría y entendimiento."[8]

Libertad suficiente....pero esto no significa que siempre sea aceptada.

¿Cuántas veces hemos oído la frase: "Suena tan bueno como para ser verdad, ¿será probable?" Cuando llegamos a adultos, no aceptamos fácilmente las falsas esperanzas y somos muy incrédulos ante cualquier promesa de obtener algo a cambio de nada.

Pero Dios no es otro embaucador. No hay cláusulas ocultas en el contrato. El perdón entrega la mercancía tal como ha sido anunciada: completa, incondicional y absolutamente libre. Cuando sufres por una culpa prolongada, es signo de que no has aprendido a apropiarte de lo que Dios dice en Su palabra.

Elige, creer lo que Dios dice. *Agradécele* por el regalo de su Hijo, quien pagó por tu perdón. Haz ambas cosas aunque no te sientas perdonado. Y después rehúsate a albergar más pensamientos de acusación. Rehúsate a ser tentado a cargar algunas rocas de lamentos y penitencia.

G De la palabra *Give up*:
***R**ehúsa pensar en el pasado*

Mendoza no necesitaba llevar ni una sola onza de armamento a través de la selva, mucho menos cien libras. Para Dios su penitencia era un gesto innecesario. ¿Por qué? Porque Jesús ya lo había llevado por él. El pago había sido hecho totalmente.

Ashley me llamó una noche a *Esperanza en la Noche*, porque Brian, un hombre cristiano que estaba locamente enamorado de ella, le pidió que se casaran. No pasó mucho tiempo para oír su voz vacilante.

"¿Y cuál es el problema?" le pregunté.

"El problema es que no puedo decir sí. No me lo merezco."

Ashley había estado casada anteriormente y la relación había llegado a su fin cuando ella tuvo una aventura con otro hombre.

"Eso fue una estupidez y completamente equivocada. Nunca podré perdonarme a mí misma por lo mala que fui al herir a mi

179

primer esposo. No puedo casarme con Brian por los errores de mi pasado."

> Si vives en el pasado y te niegas a perdonarte a ti mismo, "juegas a ser Dios" con tu culpa y exiges el derecho de deshacer lo que Él ya ha hecho.

Algunas veces lo que necesitamos oír es lo que menos esperábamos oír.

"Ashley, ¿tu piensas que eres más inteligente que Dios?"

Por supuesto que no estaba tratando de acusarla sino que quería ayudarle a que viera una verdad importante. Aunque algunos pecados –como el adulterio- traen consecuencias más severas que otros, para Dios, pecado es pecado. Él perdonó *todos* nuestros pecados –hasta el último. El gran alcance de la gracia hace que algunos corazones se levanten y que otros tropiecen. Parece muy bueno para ser cierto. Si, es muy bueno, pero es cierto.

Si vives en el pasado y te niegas a perdonarte a ti mismo, "juegas a ser Dios" con tu culpa y exiges el derecho de deshacer lo que Él ya ha hecho. Las últimas palabras que Jesús dijo en la cruz fueron: "Todo se ha cumplido." [9]

Esto significa que ya no hay más que hacer. No quedan sacos para arrastrar a través de la selva. Ni sacos de rocas para someter tu corazón. Ni pilas de rocas de arrepentimiento para subyugar tu espíritu. Algunas veces necesitamos que nos recuerden: "¡Esto eres tú!"

Felizmente, Ashley escuchó y empezó a perdonarse a sí misma. Sin su saco de culpabilidad estaba libre para dejar atrás el pasado y disfrutar el presente.

I De Invest: *Invierte tiempo en renovar tu mente*

Ser libre del pasado significa que ahora puedes ejercitar el poder fenomenal que es tuyo en cada momento: el elegir lo que piensas y lo que crees.

Piénsalo. El único tiempo que tienes es este momento, es el ahora. El pasado, en el cual has invertido mucha energía sintiéndote culpable, se ha ido. Nada de lo que hagas o digas hoy, cambiará lo que ya ha ocurrido. El futuro que tanto te preocupa, también está fuera de tu alcance –y siempre lo estará.

Cualquier influencia que tengas sobre el curso de tu vida, solamente puede ser ejercitada en el presente. Aquí y ahora tu mente y tus pensamientos te pertenecen y obedecerán a tus intenciones. La Biblia dice: "Quítense el ropaje de la vieja naturaleza, la cual está corrompida por los deseos engañosos; para ser renovados en la actitud de su mente."[10]

Deja afuera tu antigua manera de pensar con respecto a la culpa. Perdonarte a ti mismo toma tiempo para que te afirmes en lo que sabes que es verdad acerca de la gracia de Dios. Lee, memoriza y haz que tus pensamientos moren en las escrituras que enfatizan el perdón de Dios y la gracia que Él te ha extendido en Cristo Jesús. Crea el hábito de agradecerle y alabarlo cada día por Su regalo de darte una vida libre de la culpa y por liberarte para siempre de pasar otro momento bajo la enorme montaña de las lamentaciones.

 V De la palabra **V**erify:
Verifica la verdad cuando Satanás te acusa

Aférrate a la verdad, porque Satanás te *acusará*. Puedes contar con esto: esta es su arma favorita.

Después de que Jesús fue bautizado, el Espíritu lo llevó al desierto. Allí Satanás desafió y tentó al Hijo de Dios. "Si realmente eres el Hijo de Dios, eres capaz de alimentarte a ti mismo. Si realmente eres el Hijo de Dios, Sus ángeles te salvarán si te lanzas desde ese peñasco."[11]

¿Cuánto más deberías esperar que duren las acusaciones de Satanás, especialmente cuando sabes que has pecado?
"Si realmente fueras un hijo de Dios, ¿Cómo pudiste haber hecho semejante cosa? Vuelve bajo el arrume de rocas que es adonde perteneces."

Afortunadamente, Jesús fue un modelo para nosotros en cuanto a cómo responderle a Satanás, a quien Él llama "el padre de la mentira".[12] El empuñó un arma –la Palabra de Dios- la *verdad*. Dos poderosas palabras –"escrito está"- sacaron a Satanás de su camino.

Cada vez que Satanás tentó a Jesús para probarlo, Él le respondió con la Palabra de Dios. Tú debes hacer lo mismo cuando eres tentado a creer que el perdón de Dios no es para ti –que tienes que cargar las rocas de culpabilidad toda tu vida.

Está escrito: "No ha hecho con nosotros conforme a nuestras iniquidades, ni nos ha pagado conforme a nuestros pecados. Porque como la altura de los cielos sobre la tierra, engrandeció su misericordia sobre los que le temen. Cuanto está lejos el Oriente del Occidente, hizo alejar de nosotros nuestras rebeliones".[13]

La verdad es el arma más poderosa. Tómala y úsala.

E De la palabra *Exchange*:
Intercambia tu vida por la vida de Cristo

Cuando Lucy fue arrestada por tráfico de drogas, ella no tenía a quién más llamar que a sus padres. Ella provenía de una familia cristiana, pero después de la universidad, se había apartado muy lejos de, lo que ella sabía era, la verdad.

"Estar sentada en una cárcel era suficientemente malo" dijo ella. "Pero yo pensé que me iba a morir del dolor que veía en la cara de mi papi cuando vino a recogerme."

Con el tiempo, los padres de Lucy la perdonaron y olvidaron todo el episodio. Pero ella seguía sintiéndose avergonzada y sin ningún valor.

Dios nunca te pedirá que te arrastres bajo un
arrume de rocas de lamento.

"No creo que pueda perdonarme a mí misma por las cosas estúpidas que he hecho."

"Por supuesto que no puedes", yo le dije. Esto no era lo que ella pensaba que iba a escuchar cuando me llamó.

"Bueno, no sin ayuda", yo continué.

La verdad es que ninguno de nosotros puede vivir la vida cristiana en sus propias fuerzas. Debemos comprender que Cristo no solamente vino a ser nuestro sustituto en Su muerte, si no también en Su vida. Habiendo comprado nuestro perdón, Él entonces nos transforma de adentro hacia afuera para que podamos recibir el perdón. Podemos decir Gálatas 2:20: "He sido crucificado con Cristo y ya no vivo yo, sino que Cristo vive en mí. Lo que ahora vivo en el cuerpo, lo vivo por la fe en el Hijo de Dios, quien me amó y dio su *vida* por mí."

¡No hay mejor noticia que ésta!

Y ¿cuál es tu parte? Dejar tu vida para vivir en el poder de Dios. Debes permitirle a Él vivir a través de ti. Y Él nunca te pedirá que te arrastres bajo un arrume de rocas de lamento.

N De la palabra **N**otice: *Nota que Dios alinea tus sentimientos con los hechos, cuando Le obedeces*

No había "hechos reales" espirituales que llevaran a Rodrigo Mendoza a arrastrar 100 libras de armamento a través de la selva. Él se sentía obligado a hacerlo sólo por una razón: sus *sentimientos* de vergüenza y falta de valor. Habiendo asesinado a su hermano y esclavizado a cientos de nativos inocentes, sentía que ningún tipo de gracia lo podía alcanzar a él.

Entonces él siguió al Padre Gabriel a la misión y aunque estaba seguro de que su intento de penitencia fallaría, lo hizo de todos modos, sufriendo en cada paso del camino. De lo que él no se dio cuenta fue que sus sentimientos eran irrelevantes. Él iba directo hacia la "sorpresa" que le tenía el Maestro de las segundas oportunidades.

Cuando el cuchillo del indio cortó la carga de culpa de Mendoza, la *realidad* del perdón incondicional de Dios de repente se hizo clara. Sus sentimientos de falta de valor y auto condenación cayeron al fondo del abismo. Luego la gracia los reemplazó con profunda gratitud y aceptación del regalo de Dios sin costo alguno – el regalo del perdón.

Perseverar, a pesar de lo que sientes, sí vale la pena. Perdonar a otros y perdonarte a ti mismo –aún cuando no lo sientes- garantiza la libertad. Con seguridad el escritor del Libro de los Hebreos comprendió esto, cuando escribió: "Ustedes necesitan perseverar para que, después de haber cumplido la voluntad de Dios, reciban lo que Él ha prometido." [14]

La voluntad de Dios es que tú te perdones a ti mismo tan libremente como Él te ha perdonado. Esta es la esencia de las buenas nuevas de Jesucristo. Esta es la cláusula de no condenación que te libera del castigo por tus transgresiones. [15]

La redención es tuya

En ninguna parte de la Biblia encontrarás una lista de pecados que estén exentos de la gracia de Dios. Esto significa que no importa lo que hayas hecho o cuán falto de perdón te sientas, como cristiano la redención ya es tuya.

Estás P-E-R-D-O-N-A-D-O. Punto. Sin excepciones, ni siquiera para ti. Pero recuerda hacer tu parte –confesar tus pecados a Dios y a otros, y reparar el daño que has causado. Después deja que Dios haga Su parte –liberándote y dándote el poder para hacer todo lo que Él quiere que seas.

CAPÍTULO 13

El poder del saco vacío

Beneficios adicionales del perdón

DESPUÉS DE PRESENTAR UN SEMINARIO sobre el extraordinario poder del perdón, estuve muy complacida de ver a una de las participantes venir hacia mí. Noté que escuchaba con mucha atención y su cara sobresalía entre la multitud por su expresión radiante.

Cuando el esposo de Beverly murió en un accidente de motocicleta años atrás, ella quedó sola para sacar a su hija Meagan adelante. La familia recientemente se había trasladado a una nueva ciudad, donde Beverly no tenía amigos ni parientes. Para empeorar las cosas, su esposo dejó sus finanzas en un gran desorden. Beverly de repente tuvo que buscar dos trabajos para poder sobrevivir.

"Durante los primeros días, después del accidente de Barry me sentí como si estuviera de pie en el borde de un abismo. Estaba deprimida y consternada. Pensé cuán fácil sería si solamente me dejara caer y nunca regresara. Eso sería lo que hubiera hecho si Meagan no estuviera en mi vida."

Beverly encontró fortaleza para seguir adelante y cuidar a su hija. Juntas superaron su pena y reconstruyeron sus vidas.

De pronto un día, varios años más tarde, Meagan regresaba tarde del centro comercial donde estaba con unas amigas. El teléfono sonó.

"No sé por qué, pero tan pronto sonó el teléfono, supe que algo andaba mal", Beverly contó.

Algo *estaba* mal –trágicamente mal. Un conductor ebrio se había pasado la luz roja y se había estrellado con el carro de las chicas. Meagan y una de sus amigas murieron. Las otras dos fueron hospitalizadas.

"Ese día aprendí el significado de una total oscuridad. Sentí como miles de cortinas negras y pesadas."

La depresión con la que Beverly había batallado cuando su esposo murió, ahora la vencía sin que ella pudiera luchar. Al perder a Meagan, ella sentía que no había razón para vivir.

Densos peñascos cayeron dentro de su saco con tanta fuerza que le causaron un colapso emocional. "Empecé a beber mucho. Tenía que hacer algo para desahogar el odio que sentía por el conductor ebrio. Mi ira era insoportable."

Una noche borracha hasta el punto de apenas sostenerse de pie, Beverly se fue del bar, no muy lejos de su casa, tratando de conducir el carro. Ella no recordaba del todo el viaje. A la mañana siguiente, se despertó dentro del carro, estacionado en el patio del frente, casi a punto de haberse estrellado contra la casa.

"Lloré intensamente", me contó, las lágrimas volvían a sus ojos mientras hablaba. "Lloré y lloré. Yo lloré por Meagan y de vergüenza por mí misma. Estaba horrorizada de que –al estar ebria- hubiera podido matar al hijo de otra persona. Estaba horrorizada de que había hecho exactamente lo que el hombre me hizo al matar a Meagan. Mi corazón se rompió y por primera vez en años, busqué a Dios."

Beverly Le suplicó que la ayudara….y que la perdonara.

"Le dije a Dios que haría cualquier cosa si solamente Él me salvaba de esta horrible pena. No escuché ninguna voz ni nada, pero algo extraordinario ocurrió. Mientras mis lágrimas seguían brotando, de repente me di cuenta que no lloraba por mí o por Meagan. Lloraba por el conductor ebrio que la había matado. Su nombre era Sam. Por primera vez, me pude identificar con él. Por primera vez sentí dolor por *él*. Supe inmediatamente lo que tenía que hacer. Tenía que perdonar a Sam."

Esto demostró ser un desafío, pero durante los siguientes meses Beverly dejó de tomar. Ella aprendió que perdonar a Sam no dependía de lo que ella sintiera. Era una decisión. Cuando estuvo preparada, finalmente le escribió una carta a la cárcel.

"Fue una carta corta. Compartí con él lo que había experimentado en mi carro y la compasión que sentía por él. Le compartí que Dios también tenía compasión por él y que Dios lo amaba profundamente. Lo perdoné y dije: *Cualquier deuda que él aún tenga por sus acciones, no la tiene conmigo.*

No hay corazón que el perdón no pueda enmendar, ni dolor que él no pueda sanar, ni pecado que no pueda limpiar, ni vida que no pueda cambiar.

Era obvio que al cancelar la deuda de Sam, Beverly realmente quedaba libre. Su saco emocional, que había estado lleno hasta reventar, había sido desocupado –totalmente aplanado. La mujer que se paró frente a mí no se parecía en nada a aquella que había sido golpeada duramente, con intenciones suicidas ni haber sido víctima de su historia. Ella había sido completamente transformada por el asombroso poder del perdón. Como duros y afilados fragmentos de pedernal en forma de flechas de las utilizadas como herramienta, era la inmensa ira de Beverly que había sido cambiada tanto en su dirección como en su forma para crear un instrumento positivo en las manos de Dios.

El poder del perdón

Dios creó a Beverly como nos creó a cada uno de nosotros con tres necesidades internas – necesidad de amor, significado y seguridad. Solamente Él puede satisfacer por completo esas necesidades. En un principio Beverly intentó llenar estas necesidades de la manera ilegítima – a través de su hija, del alcohol y aún reteniendo el perdón como medio para obtener un falso sentido de significado.

Descubre el Tesoro que está Adentro

La *Geodas* son magníficos cristales que se forman en el interior de cualquier cavidad en la superficie de la tierra. A través del tiempo, poco a poco y continuamente pequeñas gotas de minerales se van depositando dentro de estas cavidades y se convierten en un mar de cuarzos resplandecientes, mientras que el exterior se ve como simples rocas grises y rugosas. El exterior de la geoda no tiene ningún parecido con su interior y no da ninguna pista de la belleza que guarda adentro.

Cuando albergas dentro de ti la falta de perdón es como su estuvieras cerrando la entrada de minerales que pueden crear los hermosos cristales de cuarzo. Pero cuando le entregas tu falta de perdón a Dios y empiezas a orar por tu ofensor, ocurre una asombrosa transformación – Dios comienza a producir rasgos brillantes en tu carácter.

Una oración en un momento, otra oración en otro, es como el continuo depósito de minerales dentro de las cavidades en la tierra. Por medio de la oración, Dios suaviza tu espíritu y tranquiliza tu corazón para hacerte tan hermoso en tu interior como el cuarzo dentro de la geoda.

Anímate. Lo que inicialmente no puede verse afuera, un día será evidente para todos. Como el que corta las rocas y abre una geoda para revelar la belleza que hay dentro de ella, así es el Maestro Lapidador quien revelará la belleza interna de tu carácter como el de Cristo a aquellos que están a su alrededor y al mundo que necesita ser cautivado por el asombroso amor de Dios.

Finalmente al reconocer su incapacidad para satisfacer sus propias necesidades, Beverly sabiamente aceptó la provisión perfecta de Dios, y descubrió a través de ella la paz perfecta que había estando evitando por tanto tiempo. Beverly aprendió de primera mano la verdad de Filipenses 4:19: "Mi Dios les proveerá todo lo que necesiten, conforme a las gloriosas riquezas que tienen en Cristo Jesús"

El perdón es poderoso, con propósito y dominante. No hay corazón que no pueda ser enmendado, herida que no pueda ser sanada, pecado que no pueda ser limpiado y vida que no pueda ser cambiada. Este desplaza y remueve los más grandes peñascos, salvando a muchos que están al borde del desastre. Historias como la de Beverly podrían llenar miles de libros y aún no serían suficientes para destacar el extraordinario poder del perdón.

Los Beneficios del Perdón

Las bendiciones que acompañan el perdón son más y más. El gozo es renovado, las relaciones son restauradas, la esperanza es recuperada y la energía es revitalizada. Vamos a ver algunos beneficios adicionales que experimentas cuando perdonas.

El perdón mejora nuestra salud

Con frecuencia me asombra ver cuántos cristianos todavía comparan el perdón con una dosis de medicina que sabe mal. Es como si vieran a Dios de pie frente a ellos con un frasco de aceite de castor en una mano y una cuchara del tamaño de un recipiente para mezclar en la otra. "Esto va a ser desagradable", ellos se imaginan que Él les dice con severidad: "Abre la boca".

Con esa clase de imaginación, ¿quién puede culparlos por apretar sus labios y tercamente resistirse a perdonar?

Pero el perdón no es una dosis de medicina desagradable, no es una cruz para cargar. El perdón es la prescripción perfecta de Dios el Gran Médico, para nuestro bienestar. Es el antídoto para los pensamientos y emociones venenosos, pero también es bueno para nuestra salud física.

"Sé que suena extraño pero pienso que el ataque al corazón que tuve salvó mi vida", me contó Max una noche que llamó a *Hope in the Night* (Esperanza en la Noche). "Por años, pensé que al negarme a perdonar a mi padre, le estaba devolviendo todo lo malo que me había hecho. Estaba equivocado."

El padre de Max era un alcohólico quien rutinariamente abusaba verbalmente tanto de él como de su madre. Él añadía insultos a las heridas provocadas al involucrarse descaradamente en aventuras con otras mujeres en la comunidad. Max prometió nunca olvidar la humillación de su madre y su propio dolor.

No había manera en que Max deseara quitar la más pequeña piedra de su costal. Aún después de que su padre dejó de beber y empezó a trabajar para salvar su matrimonio, Max se aferró a su amargura más fuertemente que nunca. Fue hasta que Max se estranguló con su propio saco de amargura (ver Apéndice E).

Para sus amigos, Max se describía a sí mismo como "desafortunado" por su infancia "tóxica". Como adulto sufría de frecuentes y fuertes dolores de cabeza como también misteriosos dolores de estómago que los médicos no pudieron diagnosticar. No era poco común para él regresar con una fuerte gripa después de haber visitado a sus padres por algunos días.

"Yo quería *hacerlo* pagar", me dijo Max, "pero resultó que yo era el que estaba pagando. Me di cuenta que el duro camino de la falta de perdón era muy costoso."

A la edad de 42 años, Max sufrió un serio ataque al corazón. Los doctores estaban desconcertados y Max estaba lo suficientemente golpeado como para finalmente escuchar el mensaje que su cuerpo le estaba enviando hacía años. Él empezó a asistir a sesiones de consejería y a trabajar para perdonar a su padre. Fue hasta entonces que se dio cuenta lo que la falta de perdón traía para su salud.

El Dr. Guy Pettit, escritor y profesor de Nueva Zelanda resume así el nexo que existe entre el perdón y la salud:

> *La falta de perdón....puede tener un profundo efecto en la manera en que funciona tu cuerpo. Los músculos se tensionan, causando desbalances o dolor en tu cuello, espalda y miembros. El flujo de sangre disminuye en la superficie de las articulaciones, haciéndole más difícil a la sangre el eliminar los restos de tejidos y reduciendo el suplemento de oxigeno y Nutrientes para las células. Los procesos normales para reparación y recuperación de las heridas o de la artritis empeoran. Apretar las mandíbulas contribuye a crear problemas con los dientes y con las articulaciones de las mandíbulas. Los dolores de cabeza son probables. Dolores crónicos pueden empeorar.*

> *La lista continúa: el flujo de sangre al corazón se constriñe. La digestión empeora. La respiración se restringe también. El sistema inmune deja de funcionar bien, incrementando la vulnerabilidad a adquirir infecciones y tal vez malignidad. Se hacen más frecuentes los daños y accidentes por falta de atención.*[1]

No es un cuadro muy bonito. Más de mil estudios publicados en la década pasada, apoyan estos hallazgos. La falta de perdón produce una mezcla bioquímica tóxica en el cuerpo humano que ocasiona un daño significativo a tu cuerpo.

Brenda Gutman escribió *Psychology Today* (Psicología de Hoy):

> *Si el ejercicio físico tiene un equivalente mental, éste probablemente es el proceso de perdonar. Investigadores continúan insistiendo en los beneficios de "enterrar el hacha de guerra": baja la presión de la sangre y el ritmo del corazón, disminuye la depresión, mejora el sistema inmune y prolonga la vida, entre otros.*[2]

La ciencia moderna refuerza lo que nuestro Creador nos ha dicho desde siempre: *el perdón es bueno para ti*. Dios insiste en que dejes ir la ira y el resentimiento que sientes contra aquellos que te han herido –no soltar a tus ofensores de tu gancho, sino pasarlos al gancho de Dios librándote del peso de arrastrarlos a ellos y del dolor que te causaron. El perdón te ayuda a superar las experiencias difíciles con una salud intacta y te permite aprovechar los regalos de Dios de vida abundante, la cual está a tu alcance.

La energía que consume la ira es energía perdida. El perdón requiere de nuestra energía y le da una dirección diferente.

El cargar un saco lleno de peñascos ¡es realmente dañino para tu cuerpo!

El perdón nos permite mejorar nuestro potencial

El perdón tiene el poder para dejarte libre. El perdón suelta el costal que te lastima y te permite correr la carrera en la vida como Dios quiere. Amargura, ira y venganza son cárceles de las cuales puedes escapar en cualquier momento una vez que comprendas que el perdón es la llave para abrir la puerta.

Pero dejar atrás esas celdas que te incapacitan es solamente la mitad del valor de la libertad. Cuando sales nuevamente a la luz del sol, eres libre de las cadenas que te sujetaban al costal que cargabas. Mejor aún eres libre para proseguir con tu vida con una pasión y propósito renovados. La energía que consume la ira y la venganza es energía perdida. El perdón requiere de esa energía y le da una nueva dirección para hacer tu vida mejor que nunca.

Raúl era un joven periodista con un futuro prometedor. Había trabajado muy duro para conseguir un trabajo en una prestigiosa revista nacional. Durante las primeras semanas de trabajo todo marchó bien. Su trabajo fue reconocido por los editores superiores los cuales insinuaron que tenía un futuro brillante con la publicación.

Después empezó el problema. Aparentemente por celos ante este éxito prematuro, la supervisora de Raúl empezó a hacerle la vida difícil. Asignó las más prometedoras historias a otros escritores y le dejó a Raúl la caza de patos salvajes y hasta alteró algunas de sus propuestas haciéndolas empeorar.

"Iba a casa echando humo todas las noches," me contó Raúl. "No pasaba un día sin que me afectaran las actitudes conspiradoras de Mónica o sus ataques."

Aún así, Raúl hizo lo mejor que pudo para mantener la perspectiva ante la situación. Como cristiano, él conocía el mandamiento de Dios de perdonar y hasta amar a sus enemigos. Sin embargo, un día Mónica se extralimitó. Se apropió de una idea en la que Raúl gastó semanas en desarrollar y la pasó como su fuera suya. La historia fue un gran éxito y ella obtuvo todos los créditos.

Durante las siguientes semanas declinó constantemente la calidad del trabajo de Raúl. Adoptó una actitud que era difícil de ignorar. En pocas palabras, la promesa que era en un principio, comenzó a verse desoladora con el tiempo.

"Gastaba todo mi tiempo ya fuera tratando de evadir sus trucos sucios o maquinando mi revancha. Estaba envenenado. Lo sabía bien pero no me importaba.

Hubiera pagado mucho sólo para volver a relacionarme con ella."

Al final, él casi paga demasiado. Casi le cuesta su trabajo. Cuando llegó el tiempo para evaluar su desempeño, los jefes superiores fueron muy claros al decirle que sólo le quedaba una oportunidad. Le dieron un ultimátum: ¡o mejoraba o se iba!

"Estaba devastado, pero a la vez sabía que ellos estaban en lo cierto. Dios me habló a través de ellos para recordarme lo que yo ya sabía. Si yo no sabía cómo perdonar a Mónica, alguien iba a salir mal –y probablemente no iba a ser ella".

Raúl comprendió que la falta de perdón estaba consumiendo el potencial que tanto trabajo le había costado desarrollar. La energía que había invertido fantaseando cómo sería su venganza, había sido malgastada y su trabajo sufrió como resultado de esto. No era fácil, pero era claro como el cristal lo que necesitaba hacer.

Finalmente Raúl perdonó a Mónica y aún decidió hacer algo amable por ella cada día. Pronto recobró su entusiasmo por el trabajo y empezó a escribir mejor que nunca.

"Hubiera deseado poder decir que Mónica tuvo un cambio en su corazón. Pero al perdonarla yo fui el que tuvo un cambio en el corazón –volví a ser el de antes."

Cuando Dios te manda a perdonar, tiene en mente tu bien. Él sabe que cuando dejas ir la amargura y la venganza, cuando le dices adiós a las rocas y peñascos, no hay límite para lo que Él puede realizar en ti y a través de ti.

El Perdón te Lleva a Ser más como Cristo

Cuando el espíritu de Cristo está enraizado en ti, Él produce fruto espiritual -vas siendo conformado cada vez más al carácter de Cristo. (En el momento en que confiaste tu vida a Jesús, fuiste "sellado" con el Espíritu Santo, que vive dentro de ti por el resto de tu vida.)₃ Por lo tanto, la próxima vez que te equivoques, permítele al Espíritu de Cristo que produzca Su fruto en ti –el fruto de un corazón perdonador, que incluye amor, alegría, paz, paciencia, amabilidad, bondad, fidelidad, humildad y dominio propio.₄

    Amor –te rehúsas a llevar un registro de las cosas malas que las personas han hecho contra ti. "Sobre todo ámense los unos a los otros profundamente, porque el amor cubre multitud de pecados."₅

    Alegría –Estás alegre porque, por la bondad de Dios y Su soberanía sobre todos los acontecimientos de tu vida –aún los dolorosos- Él finalmente los usará para bien. Como dijo el apóstol Pablo cuando estuvo preso, encadenado las 24 horas del día: "Seguiré alegrándome porque sé que, gracias a las oraciones de ustedes y a la ayuda que me da el Espíritu de Jesucristo, todo esto resultará en mi liberación."₆

    Paz –buscas resolver cualquier dificultad, herida o división, deseando que el ofensor esté bien con Dios. "Busquen su restauración, hagan caso a mi exhortación, sean de un mismo sentir, vivan en paz. Y el Dios de amor y de paz estará con ustedes."

Paciencia –Reconoces que tu ofensor no está "enterrado en el cemento" y que un día puede cambiar. "El amor es paciente." [8]

Amabilidad –Sin egoísmo bendices a otros y buscas atender sus necesidades a través de palabras y actitudes amables. "Juzgad conforme a la verdad, y haced misericordia y piedad cada cual con su hermano."

Bondad –Te aferras a los principios morales y a la pureza aún en medio de la controversia. "Mantengan entre los incrédulos, una conducta tan ejemplar que aunque los acusen de hacer el mal, ellos observen las buenas obras de ustedes y glorifiquen a Dios en el día de la salvación." [10]

Fidelidad –Oras fielmente porque el que te ha causado dolor algún día pueda tener un cambio en su vida. "Alégrense en la esperanza, muestren paciencia en el sufrimiento, perseveren en la oración." [11]

Humildad –Respondes a la ira de otros con gran humildad. "La respuesta amable calma el enojo, pero la agresiva echa leña al fuego." [12]

Dominio propio –Decides con anterioridad cómo responderle a una persona difícil cuando surge un conflicto. "Dispónganse para hablar con inteligencia; tengan dominio propio." [13]

El Perdón Apunta a Dios

El autor Lee Strobel cuenta la historia de una niña de ocho años que fue sorprendida robándose un libro en un almacén. Sus padres la llevaron a la oficina de Lee. La niña entre lágrimas admitió que había tomado el libro, sabiendo que eso era malo.

Lee sugirió como castigo que ella pagara el precio del libro -$5- más tres veces ese precio. La niña asintió tristemente, pero era obvio que $20 era una inmensa cantidad de dinero para ella.

Viendo la oportunidad para enseñarle algo acerca de Jesús, Lee buscó dentro de su escritorio y sacó su chequera personal. Hizo un cheque por $20 de su propia cuenta y se lo entregó a la niña para que ella lo viera. Quedó boquiabierta.

CÓMO PERDONAR... CUANDO NO LO SIENTES

"Voy a pagar tu multa para que no tengas que hacerlo", le dijo a ella.

"¿Sabes por qué voy a hacer esto?"

Desconcertada ella negó con su cabeza.

El continuó: "Porque te amo. Porque me preocupo por ti. Porque eres valiosa para mí. Y por favor recuerda esto: Así es como se siente Jesús con respecto a ti también. Excepto que mucho más."

La niña tomó el regalo y "su cara resplandeció con alivio y alegría". Para ella, el perdón nunca más sería "teórico". Lo había experimentado por sí misma. [14]

El Perdón Hace que el Mundo Cambie

El verdadero perdón siempre comienza en la privacidad de un corazón herido que no se ha doblegado ante Dios. Desde ahí puede crecer un silencioso encuentro entre el ofendido y el ofensor. Pero algunas veces éste es sólo el comienzo. El más pequeño acto de perdón irradia hacia afuera como las ondas del agua y puede cambiar el curso destructivo de familias, iglesias, comunidades y aún sociedades enteras. ¿Quién sabe con cuánta frecuencia tu mundo ha estado en la balanza esperando que tomes una decisión entre venganza o perdón? Los sacos vacíos son poderosos... penetran corazones, cambian mentes y transforman vidas (Ver Apéndice C)

En febrero de 1965, ocho días después de haber sido alcanzado por un tiro en el estómago proveniente del arma de un oficial de policía, Jimmie Lee Jackson murió silenciosamente en un hospital de Selma, Alabama. ¿Su crimen? Se había enfrentado a un policía estatal que estaba golpeando a su madre sin misericordia, mientras la policía allanaba una iglesia en donde personas de color se estaban registrando para votar.

> El perdón genuino tiene poder para transformar el corazón y la conciencia de tu mundo.

196

Para muchos de los que abogan por los derechos civiles, la muerte de Jackson fue la gota que colmó el vaso. Ellos se preguntaban si la no violencia y el perdón, piedras angulares del movimiento de los derechos civiles hasta este punto –eran estrategias ingenuas y sin esperanza cuando un adversario tan determinado y violento se oponía. Ellos argumentaban que tal vez ya era tiempo de enfrentar fuerza con fuerza.

Pero Martin Luther King Jr., que ya había sido líder del movimiento, sabía que el perdón iba más allá de una estrategia política. Como cristiano, él comprendió que el perdón era el único que tenía el poder de poner fin a la injusticia y cambiar el mundo. Él sabía que el saco desocupado de animadversión, ira y ansiedad, en realidad llevaba un peso monumental. En su libro Strength to Love (Fortaleza para Amar), King escribió:

> Debemos desarrollar y mantener la capacidad de perdonar.
> Quienquiera que esté desprovisto de poder para perdonar
> Está desprovisto de poder para amar.
>
> A tus más amargos oponentes les decimos: Igualaremos tu
> capacidad para infligir sufrimiento con tu capacidad para
> resistir el sufrimiento. Enfrentaremos tu fuerza física con
> la fuerza de tu alma. Haznos lo que quieras y
> Continuaremos amándote….
>
> Métenos en prisión y seguiremos amándote. Envía a tu criminal
> encapuchado a la comunidad a medianoche y golpéanos y déjanos medio
> muertos y aún así seguiremos amándote. Pero debes estar seguro que te
> agotaremos con nuestra capacidad para sufrir.
>
> Un día ganaremos nuestra libertad, pero no solamente para
> nosotros mismos. Apelaremos a tu corazón y a tu conciencia
> y te ganaremos en el proceso y nuestra victoria será una doble
> victoria. [15]

La "fuerza del alma" de la cual King habló, tuvo dramáticos resultados. El perdón genuino tiene el poder para transformar el corazón y la conciencia de la sociedad. Él comprendió la necesidad de extender el perdón… aunque él y sus compañeros de lucha no lo sintieran. Al perdonar, el Dr. King dijo, rendimos nuestras vidas para que el amor y la misericordia de Dios puedan reemplazar el temor y el odio, transformando nuestros enemigos y amigos y aliados en el proceso.

Esta extraordinaria idea no es nueva, por supuesto. Jesús la había mostrado con Su propia vida dos mil años antes en la cruz. Pablo dijo a los romanos: "Como éramos incapaces de salvarnos, Cristo murió por los malvados. Difícilmente habrá quien muera por un justo, aunque tal vez haya quien se atreva a morir por una persona buena. Pero Dios demuestra su amor por nosotros en esto: en que cuando todavía éramos pecadores, Cristo murió por nosotros."[16]

Tres semanas después de la muerte de Jimmie Lee, 600 personas marcharon pacíficamente desde Selma hasta Montgomery para suplicar por su caso al gobernador George Wallace. La gente sólo anduvo 6 cuadras desde donde empezaron. A la vista de reporteros y cámaras de televisión, la policía atacó a los manifestantes con garrotes, gas lacrimógeno y látigos y los hicieron regresar.

Seiscientos costales se pudieron llenar en un solo día con semejante atrocidad.

El cabecilla de la marcha, John Lewis, quien después se convirtió en congresista, recibió los primeros golpes. Años más tarde él explicó su mandamiento cristiano de no violencia y perdón: "Si crees que hay una chispa de divinidad en cada ser humano, no puedes llegar al punto de odiar a esa persona o despreciarla… aunque dicha persona te golpee… Debes tener la capacidad y la habilidad para perdonar."[17]

Lewis sabía que el perdón debe comenzar como un regalo de una persona a otra, pero una vez entregado, nada lo puede contener. El perdón cambia los *corazones*, no sólo leyes y puede hacer que paredes de piedra caigan como fichas de dominó. Después de lo que pasó en Selma aquel día, la gente de todos los Estados Unidos sintió dolor y vergüenza por lo que vieron en los periódicos y en la televisión. Los corazones *cambiaron* y el país se convirtió en un lugar mejor.

Dos semanas más tarde, los manifestantes de nuevo trataron. El número había crecido de 600 a 25.000 y esta vez llegaron hasta Montgomery. A pesar de lo les había ocurrido ellos no se sentían disgustados, no eran figuras doblegadas levantando banderas de amargura durante la marcha. Sólo cinco meses después de esto, el presidente Johnson firmó la ley llamada Acta de Derechos de Votación de 1965.

Todos ellos trabajando por un cambio de no violencia, eligieron hacer las cosas a "la manera de Dios." Ellos perdonaron a sus enemigos, a cada persona y cada acto de violencia y el impacto de su decisión no llegó hasta ahí. Cambió al mundo.

Los sacos vacíos llaman la atención de la gente.

El Resultado del Perdón

Beverly fue cambiada para siempre por su decisión de perdonar, pero yo estaba complacida de aprender, mientras la escuchaba la noche que no había terminado aún su historia. Al escribirle la carta a Sam perdonándole su deuda, ella hizo todo lo que debería haber hecho.

Ella no esperaba lo que ocurrió después.

Sam le respondió su carta. Le habló de la culpa que sentía a cada instante desde el incidente que casi lo destruye. Intentó suicidarse en la cárcel. Él no se atrevía a pedirle a Dios que lo perdonara porque estaba seguro que no lo merecía.

Su carta había cambiado esto.

"Mis dos cortos párrafos fueron suficientes para hacer que Sam cayera sobre sus rodillas y se arrepintiera. Él se convirtió a Cristo. Desde entonces comparte mi carta con cualquiera que lo desee escuchar."

Ahora yo sabía por qué la cara de Beverly lucía tan brillante. Después de sus terribles pérdidas, el perdón la rescató de la esclavitud de la depresión y de la amargura. Pero ahí no terminó todo: su decisión de perdonar continúa transformando las vidas de personas que ella ni siquiera conoce.

Los sacos vacíos ¡*sí* llaman la atención de la gente!

CAPÍTULO 14

Un corazón de Piedra Encuentra Esperanza y Sanidad

Pidiendo perdón, encontrando Libertad

SIEMPRE QUE ESCUCHO LA PALABRA perdón, el primer pensamiento que viene a mi mente es mi padre – no por mi éxito para perdonarlo, sino por mi fracaso. No lo perdoné por años. No sentía hacerlo.

Mi problema principal era que no veía razón alguna para perdonarlo. El segundo era que no veía ninguna razón para pedirle a él que me perdonara. Mi mente lógica, orientada hacia las matemáticas, razonaba: *¿Por qué perdonar a alguien que no ha cambiado?* Esto no encaja. Él no ha cambiado, ni tampoco ha visto la necesidad de cambiar.

Mi padre tenía un corazón de piedra –que parecía impenetrable.

En cuanto a mí, solamente me concentraba en ver sus fallas. Mis quejas eran muchas porque desde mi punto de vista, sus fallas también eran muchas. Él actuaba arrogantemente, como si fuera un dios. A menudo parecía condescendiente – menospreciando, degradando y mirando por encima del hombro a los demás. Sus actitudes y acciones eran dolorosas, y el mayor daño de todos los que causó, fue haber quebrantado el espíritu de mi madre.

Recuerdo muchas veces suplicándole en silencio: *Puedes herirme, pero por favor, te lo ruego, ¡no la lastimes a ella!* Sin embargo mi súplica silenciosa no servía de nada. Este fue un tiempo oscuro en mi vida. Yo lo llamo mi época del "filtro negro". (Un filtro negro que se coloca en el lente de la cámara y transforma una escena que ocurre durante el día en una fotografía que se toma en la noche). En verdad, yo veía a mi padre a través de ese tipo de filtro: Yo tenía una visión oscura de todo lo que él hacía. Después de todo el estaba 100 por ciento equivocado y yo 100 por ciento en lo correcto. Por lo menos así era como yo lo veía.

El Desafío de Extender el Perdón

Un día durante una discusión con una conocida, esta mujer me desafió a considerar mi actitud: "Yo creo que tú nunca has perdonado a tu padre" ¿Cómo podía ella decirme eso? Ella ¡ni siquiera me conoce! De alguna manera me sentí juzgada por ella. Defensivamente traté de explicarle – con humildad – que mi padre era el único que estaba totalmente equivocado.

Ella de nuevo me desafió: "¿Quieres decir que tu no tuviste una mala actitud hacia él nunca?" Lentamente yo respondí: "Bueno… si… pero…" *Yo pensaba: Está bien, el ha estado equivocado en un 98 por ciento y yo solamente un 2 por ciento.*

Para ser franca, yo no aprecié ser confrontada. Pero ¡cuánto lo necesitaba! Empecé a sentirme culpable. *June, si tu estás equivocada solo en un 2 por ciento, entonces eres responsable ante Dios por ese 2 por ciento.*

El Espíritu de Dios usó la Pablara de Dios tanto para convencerme como para obligarme a tomar acciones. Me sorprendí cuando leí estas palabras que dijo Jesús: "Si estás presentando tu ofrenda en el altar y allí recuerdas que tu hermano tiene algo contra ti, deja tu ofrenda allí delante del altar. Ve primero reconcíliate con tu hermano; luego vuelve y presenta tu ofrenda."[1]

Esto significa que Dios le da prioridad a que tengamos un corazón puro ante Él y una conciencia limpia en nuestras relaciones antes de cumplir nuestras responsabilidades como cristianos. ¡Sorprendente! En ese momento supe lo que tenía que hacer: no solamente perdonar a mi padre, sino también pedirle perdón a Él.

Oré… lo planeé… me preparé… y entonces una mañana busqué a mi padre. Estaba sentado en la cabecera de la mesa del comedor tomando su desayuno. Conocido por ser excéntrico, su comida de la mañana incluía siempre el mismo orden de curiosos elementos: siete almendras, una taza de jugo de naranja, de zanahoria o de uva, un huevo duro, una tajada de pan tostado hecho en casa y una taza de agua hervida.

Mucho antes de que la comida saludable se pusiera de moda, mi padre era un "aficionado" de la comida saludable, es más, diariamente se comía las pequeñas semillas del interior de dos albaricoques. (El decía que la gente de Hunza, al norte de Pakistán vivía por encima de los 120 años por comer las minúsculas semillas; por lo tanto él pensaba que al comer éstas, su vida iba a ser más prolongada.)

El estaba leyendo el periódico cuando me acerqué.

"Papá, ¿puedo hablar contigo?" Me miró por encima de sus anteojos para leer, que se sostenían en la punta de su nariz. No dijo nada. Sin embargo, yo comencé mi confesión.

"Me he dado cuenta que he sido una hija desagradecida". Después seguí mencionando áreas específicas en las cuales había sido desagradecida porque yo quería que él supiera que me había dado cuenta de que no lo había apreciado lo suficiente. Realmente yo deseaba aligerar la carga que llevaba en mi costal.

"Papá, yo nunca te agradecí por el techo que mediste, la comida en la mesa y los libros para la escuela. Por eso, vengo a pedirte: "¿Me perdonas?". Hice una pausa, esperando una respuesta. Si ésta hubiera sido una escena de una tierna película de amor familiar, el periódico hubiera caído al piso, mi padre hubiera saltado de su asiento (con lágrimas en sus ojos), y él hubiera abrazado a su hija arrepentida. Pero ésta no era una película. Esta era la vida real, y no había ni un gramo de calidez en su respuesta.

Estoicamente él respondió: "El gusto ha sido mío", como si estuviera concretando una transacción de negocios. Inmediatamente volvió a su periódico. Me puse de pié, atónita y parecía congelada en el tiempo. Los segundos parecieron minutos. Cuando me di cuenta de que no iba a haber una conversación, silenciosa y torpemente salí del salón. Yo estaba insensible al peso del saco invisible que llevaba conmigo. ¿Tenía mi saco más liviano por mi obediencia a Dios, o más pesado por la fría pasividad de mi padre?

Mi padre no cambió ese día, pero al final, algo dentro de mí sí cambió. Yo sabía que había hecho algo que era bueno a los ojos de Dios; por lo tanto, aprendí que la respuesta de mi padre (o su falta de respuesta), no debía ser mi motivación para lo que yo hiciera. ¡Ya había probado algo de libertad!

Una de las Escrituras que me deja más perpleja es "Ama a tus enemigos"₂ Cuando leí este pasaje por primera vez, pensé: Bueno, esa es una magnífica idea. Por su puesto que no es realista. Las personas no pueden amar a sus enemigos. Sin embargo, yo estaba equivocada.

Inicialmente yo pensaba que Jesús se estaba refiriendo a un amor emocional que le hace sentir a uno un hormigueo por todo el cuerpo (esta clase de amor es *eros*, que significa "pasión"). Por el contrario la clase amor de "ama a tus enemigos" es la palabra griega *ágape*, que implica un mandamiento de buscar lo mejor para otro.

Entonces, ¿Qué podía yo hacer que fuera lo mejor para papá? ¿Cómo podía yo buscar lo mejor para él? Reflexioné: *"A él siempre se le pierde su libro rojo de direcciones. Lo voy a localizar, entonces cuando él pregunte: "¿Dónde está mi libro de direcciones?", yo sabré."*

Y tal como lo había pensado, cuando regresó del trabajo esa tarde, él lanzó un grito con su acostumbrada pregunta. Con una sonrisa de satisfacción, yo respondí: "Yo sé dónde está. ¿Te gustaría que te la trajera?"

Fui a su alcoba y pronto le traje su libro de direcciones. Papá quedó atónito y sin poder decir una sola palabra ante mi corazón servicial y la actitud que vio en mí. A partir de aquí, cualquier impacto que mis acciones causaban en él, me fortalecían… y producían un cambio en mi vida. Desde ese entonces, él ya no era mi enemigo ni yo su enemiga. Yo creo que este fue el fruto de pedirle perdón. Esto cambió la dinámica de nuestra relación.

El Maestro Tallador

Se le conoce por muchos nombres. Y aunque no vas a encontrar éste en ningún lugar en las Escrituras, le queda muy bien. Dios es, en efecto el Maestro Tallador. El está cortando… puliendo… tallando… refinando tus rocas no deseadas – haciendo de ellas algo de máximo valor.

El antiguo trabajo de tallar es el arte de transformar rocas ásperas en piedras pulidas y joyas resplandecientes. Con suma precisión, el artista realza las cualidades inherentes a cada piedra.

Los talladores utilizan cuatro métodos principales para crear obras maestras:

- **Pulir.** Toma días o semanas hacer girar continuamente grandes cantidades de piedras con abrasivos y agua en un barril (que puede tener vibración). Las piedras sin brillo, al final, salen suaves y brillando como un espejo.
- **Cabinar** La forma más antigua de cortar gemas es el "cabochon", método con el cual se cortan de la mayoría de las gemas opacas, como ópalos, piedras de luna y turquesas. Una "cabina" es una cúpula con un fondo plano y curvo arriba.
- **Corte de caras.** Una forma más reciente de pulir, es el corte de caras en gemas transparentes como esmeraldas, rubíes y diamantes. Las caras son superficies geométricas planas que actúan como espejos reflejando la luz entre ellas y por encima de la corona de la gema. (El "brillante", un diamante cortado, el más común hoy en día tiene 57 o 58 caras)
- **Tallar o esculpir.** Es un molesto y meticuloso método de gravar un diseño en una gema opaca, como el coral, ágata y jade.

Así como dos rocas no son idénticas, tampoco lo son dos personas. El deleite del Maestro tallador es diseñar una creación única – tomando lo ordinario y convirtiéndolo en extraordinario, tomando tus pruebas y convirtiéndolas en triunfos.

Las rocas no sienten el efecto de las herramientas del tallador, pero las personas sí. No puedes escapar el dolor. Sin embargo, el Maestro es especialista en darle propósito a tu dolor – un propósito con significado de acuerdo con Su plan perfecto.

¿Cuál es tu roca más grande? Ten en cuenta que nadie vive esta vida sin ser menospreciado, abusado o maltratado. Pero cuando esas pesadas rocas son colocadas en las manos del Maestro, Él transformará tu dolor en un valioso tesoro.

El Maestro tiene Sus métodos, y Él usa más de cuatro cuando va a hacer Su trabajo. Pero sea cual sea la prueba, el examen o el caos, los abrasivos son necesarios para que tú puedas reflejar el incomparable carácter de Cristo.

En este mundo, ¡nada tiene más valor!

Pedir perdón es un asunto que tiene una enorme importancia para nuestras relaciones. Con frecuencia la forma en que las personas justifican su comportamiento ofensivo hacia otros es enfocándose en la culpa de los otros. Esto significa que nuestros ofensores desearán culparnos por nuestra falta, para sentirse aliviados por la suya. Entonces no van a sentir todo el peso de su propio pecado.

¿Puedes Terminar el "Juego de Culpar"?

Imagínate una pesa de balanza. En el lado derecho está tu culpa y en el izquierdo el culpar a otro. Mientras mi padre me pudiera culpar por mi actitud negativa, él no sentiría el peso de su propia culpa. La pesa se balancea – aún si solamente estoy equivocada en un 2 por ciento – porque mi papá se enfoca en aquello de lo cual me puede culpar. Mirando hacia atrás, puedo ver qué absurdo era realmente ese 2 por ciento.

Sin embargo, cuando humildemente pedimos perdón por nuestro pecado, nuestra culpa se va y nuestro saco se desocupa. Y cuando nuestra culpa se quita de un lado de la pesa, entonces los sentimientos de culpa de nuestro ofensor hacen que la pesa baje pesada y rápidamente hacia el otro lado.

Es por esto que, cuando pedimos perdón por nuestros pecados, el Espíritu de Dios puede usar nuestros humildes corazones para traer *convicción de Dios al corazón* de nuestro ofensor. Esto significa que pedir perdón puede finalizar el "juego de la culpa".

Después de pedir perdón a mi padre, yo dejé de sentir que él me culpaba como lo hacía antes. Y aunque nunca tuvimos una relación cálida y afectiva, yo buscaba cada oportunidad para demostrarle honor y respeto. Aprendí a lo largo del tiempo que siempre podemos ser respetuosos hacia alguien aún si él o ella no son respetuosos con nosotros.

Con el tiempo, sin embargo, me dí cuenta de que mi padre también me respetaba verdaderamente.

Mi madre y mi padre con frecuencia se sentaban en sus sillas mecedoras blancas en el frente de la casa mientras se entretenían con algún invitado, y un día ocurrió algo interesante. Un hombre intentó compartir el plan de salvación con mi padre, quien rápidamente lo interrumpió diciendo: "Si alguien me va a hablar acerca de asuntos espirituales, es mi hija June."

En su cumpleaños ochenta y seis tuve esa oportunidad

Aparentemente papá tenía muy claro el concepto de su inminente mortalidad cuando su salud empezó a decaer. Tenía pólipos en el colon, de los cuales no aceptó ser operado, porque: "todos los médicos lo que quieren hacer es cortarlo a uno". Más adelante le diagnosticaron cáncer de colon.

Para mi sorpresa, papá escuchó cuando le presenté el plan de salvación estando yo sentada al lado de su cama (ver Apéndice F). Después le pregunté si quería recibir a Jesús como su Señor y Salvador personal. Su respuesta fue: "Sí" Entonces lo guié en una sencilla oración para salvación.

Dios, quiero tener una verdadera relación contigo. Reconozco que muchas veces he elegido mi propio camino en lugar de Tu camino. Por favor perdóname mis pecados. Jesús, gracias por morir en la cruz para cancelar la deuda de mis pecados. Ven a mi vida y sé mi Señor y Salvador. Toma el control de mi vida y hazme la persona que tú quieres que sea. En Tu Santo nombre he orado. Amén

Yo estaba totalmente sorprendida por la expresión de humildad de mi padre – su reconocimiento de su necesidad del Salvador. Por primera vez, ¡él estaba dispuesto a recibir a Jesús como su Señor y Salvador!

Yo estaba infinitamente agradecida con Dios por su respuesta, pero permanecía cautelosa. ¿Había sido verdadera? ¿Sincera? Mi madre me aseguró, confidencialmente, que él nunca hubiera pronunciado una oración como esa, si no fuera auténtica. Mi padre, después de todo, nunca había sido alguien que se preocupara por complacer a los demás, o por apaciguar sus ánimos. A través de los años él había rechazado a muchos líderes cristianos reconocidos que se habían acercado para compartir con él el plan de salvación.

Algo extraordinario ocurrió ese día. Se llama un trasplante – un trasplante de corazón - hecho por el Señor mismo. El dijo: "Les daré un nuevo corazón y les infundiré un espíritu nuevo; les quitaré ese corazón de piedra que ahora tienen, y les pondré un corazón de carne".[3]

Era evidente para mí, que el terreno que había en el corazón de mi padre, había sido labrado, por años, primeramente por mi madre, quien literalmente lo amaba para el reino de Dios, y también por los increíbles amigos de mi madre. Ellos eran mujeres y hombres piadosos quienes mostraron gracia sobre gracia hacia mi padre, personificando el amor ágape e imitando a Cristo.

Mi padre murió de cáncer en el colon seis meses después de recibir el mayor perdón de todos; el perdón divino. No de mí, ni de mi madre, sino de Cristo el Salvador.

Es interesante – papá solía decir: "El cristianismo es una muleta". Yo solía decir: "Papá nunca va a cambiar".

Gracias a Dios, ambos estábamos equivocados.

Mi Oración Para Perdonar a Mi Ofensor

Señor Jesús,
gracias por preocuparte por cuánto ha sido herido mi corazón. Tú sabes el dolor que estoy sintiendo por (escribe aquí la ofensa). En este momento dejo todo este dolor en Tus manos. Gracias, Señor, por morir en la cruz por mí y extenderme Tu perdón. Como un acto de mi voluntad, yo decido perdonar a (escribe el nombre de la persona). Ahora mismo, quito a (nombre) de mi gancho emocional y lo paso a Tu gancho. Rehúso a todos los pensamientos de venganza. Yo confío en que en Tu tiempo y a Tu manera, Tú tratarás con mi ofensor en la manera en que Lo consideres conveniente. Y, Dios, gracias por darme Tu poder para perdonar para que así yo pueda ser libre.
En Tu precioso nombre he orado. Amén

¿POR QUÉ DEBEMOS DESHACERNOS DE LA FALTA DE PERDÓN?

EL CORAZÓN QUE NO PERDONA ES...	EL CORAZÓN QUE NO PERDONA TIENE...
Enjuiciador – se enfoca en las faltas pasadas que el ofensor ha cometido	**Condenación** - es intolerante a cualquier fracaso presente del ofensor.

No juzguen...no condenen...
Perdonen, y se les perdonará
(Lucas 6:37)

Sin misericordia – repite las razones por las cuales el ofensor merece misericordia.	**Desprecio** – mira por encima del hombro sin misericordia al no ofensor.

Habrá un juicio sin comparación para el
que actúe Sin compasión. ¡La compasión
triunfa sobre el Juicio!
(Santiago 2:13)

Resentido – siente envidia por los éxitos del ofensor.	**Envidia**- codicia los logros del ofensor

El resentimiento mata a los necios,
la envidia mata a los insensatos.
(Job 5:2)

EL CORAZÓN QUE NO PERDONA ES	EL CORAZÓN QUE NO PERDONA TIENE
Vengativo – se regocija cuando el ofensor experimenta fracasos, dificultades o dolor.	**Represalias** – desea igualarse con el ofensor.

No te alegres cuando caiga tu enemigo, ni se regocije tu corazón ante su desgracia.
(Proverbios 24:17)

Maligno – le habla a otros sobre las faltas del ofensor con la intención de herirlo.	**Difamación**- comparte cosas negativas innecesariamente sobre el ofensor.

El de labios mentirosos disimula su odio, el que propaga calumnias es un necio.
(Proverbios 10:18)

Orgulloso – se coloca por encima del ofensor, el cual es considerado menos merecedor.	**Altanería** – actúa con arrogancia hacia el ofensor

Al orgullo le sigue la destrucción, a la altanería el fracaso. (Proverbios 16:18)

Profanador – verbalmente abusivo hacia el ofensor.	**Amargura** – alberga hostilidad hacia el ofensor

Llena está su boca de maldiciones y de amargura.
(Rom 3:14)

Contencioso – está presto para discutir sobre decisiones personales, palabras o hechos.	**Resistencia** – argumenta sobre cualquier consejo o crítica constructiva en relación con el ofensor.

Háganlo todo sin quejas ni contiendas.
(Filipenses 2:14)

UN CORAZÓN QUE NO PERDONA ES	UN CORAZÓN QUE NO PERDONA TIENE
Impaciente - muestra poca paciencia al ser fácilmente provocado.	**Irritación** – se siente fácilmente irritado por su ofensor.

El buen juicio hace al hombre paciente;
su gloria es pasar por alto la ofensa.
(Proverbios 19:11)

Amargado- se siente abrumado por la ira no resuelta.	**Negatividad** – no siente ningún gozo ni aceptación por nada que tenga que ver con el ofensor.

Cada corazón conoce sus propias amarguras,
y ningún extraño comparte su alegría.
(Proverbios 14:10)

¿CÓMO LUCE UN CORAZÓN QUE PERDONA?

*El fruto de Espíritu es amor, alegría, paz,
paciencia, amabilidad, bondad, fidelidad,
humildad y dominio propio (Gálatas 5:22-23).*

EL CORAZÓN QUE PERDONA ES...	EL CORAZÓN QUE PERDONA TIENE...
Amoroso – no guarda un registro de las cosas malas que el ofensor ha hecho.	**Un espíritu amoroso** que permite que el ofensor pueda cambiar.

*Sobre todo ámenselos unos a los otros profundamente,
Porque el amor cubre multitud de pecados.
(1 Pedro 4:8)*

Gozoso – toma en su corazón la bondad de Dios y Su soberanía sobre todos los acontecimientos de la vida, aún de los dolorosos.	**Un reconocimiento gozoso**, de que Dios convertirá las dificultades en triunfos.

*Por eso me alegro, porque sé que... gracias a la ayuda que
me da el Espíritu Santo, todo esto resultará en mi liberación.
(Filipenses 1:18-19)*

Pacífico – busca resolver cualquier dificultad, herida o división y desea que el ofensor esté bien con Dios y sea bendecido por Él.	**Un comportamiento pacífico** que baja la guardia del ofensor y abre el camino para la reconciliación.

*El fruto de justicia se siembra en paz para los
que hacen la paz. (Santiago 3:18)*

Paciente – acepta que el ofensor no está enterrado en el cemento, y que tiene posibilidades de cambiar.	**Un compromiso** paciente que espera por el día apropiado para tratar con las dificultades y por el tiempo apropiado para hablar sobre ellas.

*El amor es paciente.
(1Corintios 13:4)*

EL CORAZÓN QUE PERDONA ES	EL CORAZÓN QUE PERDONA TIENE
Amable – busca maneras prácticas para expresar acciones amables y satisfacer necesidades.	**Un comportamiento amable** en beneficio del ofensor que es inesperado, imprevisto.

El que es bondadoso se beneficia a sí mismo,
El que es cruel, a sí mismo se perjudica. (Proverbios 11:17)

Bueno– se aferra a los principios morales y a la pureza aún en medio de la controversia.	**Un corazón bueno** que refleja el más alto carácter moral – el carácter de Cristo.

Estén siempre preparados para responder... pero háganlo
con gentileza y respeto, manteniendo la conciencia limpia,
para que los que hablan mal de la buena conducta de ustedes, en
Cristo, se avergüencen de sus calumnias. (1Pedro3:15-16)

Fiel – ora porque aquellos que le han causado dolor, tengan un cambio en sus vidas.	**Un compromiso fiel** de orar por aquellos que lo han lastimado.

Alégrense en la esperanza, muestren paciencia en el
Sufrimiento, perseveren en la oración. (Romanos 12:12)

Manso – toma en cuenta el daño causado por el ofensor y responde a la dureza con calma y mansedumbre.	**Una respuesta suave**, que comprende que a menudo "las personas heridas, hieren a las personas".

La respuesta amable calma el enojo, pero la agresiva
echa leña al fuego. (Proverbios 15:1)

Dominio propio – decide con anterioridad cómo responder cuando surge el conflicto.	**Una respuesta controlada** que es como la de Cristo; por eso no importa lo que le hagan o digan, muestra una actitud positiva hacia el ofensor.

Dispóngase para actuar con inteligencia,
Tengan dominio propio. (1Perdo1:13)

APENDICE C

EL ALTO COSTO DE LA FALTA DE PERDÓN
VS . LA GRAN RECOMPENSA DEL PERDÓN

Depositen en Él toda ansiedad,
porque Él cuida de ustedes (1Pedro5:7)

FALTA DE PERDÓN   PERDÓN

La falta de perdón bloquea la puerta para la salvación y el perdón de Dios.

El perdón abre la puerta para la salvación y el perdón de Dios.

Porque si perdonan a otros sus ofensas, También los
Perdonará a ustedes su Padre celestial. Pero si no
Perdonan a otros sus ofensas, tampoco su padre
les perdonará a ustedes las suyas. (Mateo 6:14-15)

La falta de perdón permite que crezca una raíz de amargura.

El perdón no permite que crezca una raíz de amargura.

Asegúrense de que nadie deje de alcanzar la gracia
De Dios; de que ninguna raíz amarga brote y cause dificultades
Y corrompa a muchos. (Hebreos 12:15)

La falta de perdón le abre la puerta de nuestra vida a Satanás.

El perdón le cierra la puerta de nuestra vida a Satanás

Lo he perdonado por consideración a ustedes
en presencia de Cristo, para que Satanás no se
aproveche de nosotros, pues no ignoramos sus artimañas.
(2Corintios 2:10-11)

La falta de perdón hace que caminemos en la oscuridad.

El perdón nos trae a la luz.

El que afirma que está en la luz, pero odia a su hermano
todavía está en la oscuridad.. . el que odia a su hermano esta en
la oscuridad y en ella vive, y no sabe a dónde va,
porque la oscuridad no lo deja ver. (1Juan2:9-11)

FALTA DE PERDÓN	PERDÓN
La falta de perdón es de Satanás	**El perdón** es de Dios

> *Si ustedes tienen iras amargas y rivalidades en el corazón...*
> *esa no es la sabiduría que desciende del cielo, sino que es*
> *terrenal, puramente humana y diabólica. (Santiago 3:14-15)*

La falta de perdón refleja un corazón sin piedad, impío.	**El perdón** refleja un corazón piadoso.

> *Los de corazón impío abrigan resentimiento;*
> *No piden ayuda aún cuando Dios los castigue.*
> *(Job 36:13)*

La falta de perdón nos hace esclavos del pecado.	**El perdón** nos libera.

> *Veo que vas camino a la amargura,*
> *Y a la esclavitud del pecado. (Hechos 8:23)*

La falta de perdón agravia al Espíritu de Dios.	**El perdón** es fortalecido por el Espíritu de Dios.

> *No agravien al Espíritu Santo de Dios, con el cual fueron*
> *Sellados para el día de la redención.*
> *Abandonen toda amargura, ira y enojo*
> *Gritos y calumnias, y toda forma de malicia.*
> *(Efesios 4:30-31)*

APENDICE D

ROMPIENDO FORTALEZAS ESPIRITUALES

EN LA GUERRA, SI TU ENEMIGO INVADE, esto quiere decir que tu enemigo ha ganado un terreno que te pertenece. Tu enemigo ha tomado parte de tu territorio. Ahora, con ese punto de apoyo, tu enemigo tiene una base segura desde la cual puede seguir avanzando.

Si has sido lastimado y, como resultado guardas ira dentro de tu corazón, debes comprender que tu ira no resuelta puede convertirse en un punto de apoyo para tu enemigo.

> *"Si se enojan, no pequen":*
> *No dejen que el sol se ponga estando aún enojados,*
> *Ni den cabida al diablo.*
> *(Efesios 4:26-27)*

Cómo se Desarrollan las Fortalezas Espirituales

*   Cuando te resistes a perdonar a tu ofensor, tienes *ira no resuelta.*

*   La ira no resuelta le permite a Satanás levantar un *baluarte en tu mente.*

*   Este baluarte es un *lugar fortificado* desde el cual son lanzadas las "*flechas encendidas del maligno*" (Efesios 6:16).

*   Estas flechas encendidas de acusación y falta de perdón, pueden seguir ardiendo en tu corazón y *cautivarte mentalmente para hacer la voluntad de tu enemigo.*

En este punto estás involucrado en una guerra espiritual. A fin de ganar la guerra espiritual, necesitas reconocer que la batalla por la libertad se está peleando en tu mente. Necesitas cautivar cada pensamiento de no perdón y entregar a Dios tu ira no resuelta. "Pero ahora abandonen también todo esto: enojo, ira, malicia, calumnia y lenguaje obsceno" (Colosenses 3:8).

La siguiente "oración de guerra espiritual" te ayudará a confrontar honestamente y a entregarle tu ira a Dios y por lo tanto deshacerte de esos hábitos dañinos.

Oración de Guerra Espiritual

Querido Padre Celestial:

• No quiero estar derrotado en mi vida. Gracias porque Jesús, quien *vive en mí, es mayor que Satanás que está en el mundo. (Lee 1 Juan 4:4).*

• Sé que he sido comprado por el precio de la sangre de Cristo, que fue *derramada en el Calvario. Mi cuerpo no me pertenece; le pertenece a Cristo (Lee 1 Corintios 6:19-20).*

• En este momento, rechazo todos los pensamientos que no provienen *de Ti (Lee 2 Corintios 10:3-5).*

• Yo decido perdonar a aquellos que me han herido y decido poner en *tus manos todo mi dolor y mi ira (lee Colosenses 3:13).*

• Resisto a Satanás y todo su poder (Lee Santiago 4:7).

• Me revisto de toda la armadura de Dios y te pido que ates a Satanás y *sus fuerzas demoníacas para que no tengan influencia sobre mi (Lee Efesios 6:11).*

• Desde ahora con el escudo de la fe, desviaré y venceré cualquier *pensamiento de falta de perdón que pudiera derrotarme (Lee Efesios 6:16).*

• Somete mi vida a Tu plan y Tu propósito (Lee Jeremías 29:11).

En el santo nombre de Jesús he orado. Amén.

APÉNDICE E

1. **El propósito de Dios para ti es la *salvación***

_ ¿Cuál fue el motivo por el cual Dios envió a su hijo Cristo a la tierra? ¿Para condenarte? No, ¡para expresar Su amor por ti al hacer posible la salvación para ti!

"Porque tanto amó Dios al mundo, le dio a su Hijo Unigénito, para que todo el que cree en Él no se pierda, si no que tenga vida eterna. Dios no envió a su Hijo al mundo para condenar al mundo, si no para salvarlo por medio de Él. (Juan 3:16-17).

_ ¿Cuál fue el propósito de Jesús al venir a la tierra? ¿Hacer que todo sea perfecto y quitar todo el pecado? No, su propósito era perdonar tus pecados, darte el poder para tener victoria sobre él y permitirte vivir una vida abundante.

"Yo (Jesús) he venido para que tengan vida y para que la tengan en abundancia" (Juan 10:10).

2. **Tu problema es el *pecado***

- ¿Qué es pecado exactamente? Pecado es vivir independientemente de lo que Dios quiere –sabiendo lo que es el bien, pero eligiendo el mal.

"Así que comete pecado todo el que sabe hacer el bien y no lo hace." (Santiago 4:17).

- ¿Cuál es la principal consecuencia del pecado? La muerte espiritual y la separación espiritual de Dios.

"Porque la paga del pecado es muerte, mientras que la dádiva de Dios es vida eterna en Cristo Jesús, nuestro Señor." (Romanos 6:23).

3. La provisión de Dios para ti es el *Salvador*

-¿Puede algo para la culpar por el pecado? Si, Jesús murió en la cruz para pagar la culpa de nuestros pecados.

"Pero Dios demuestra su amor por nosotros en esto: en que cuando todavía éramos pecadores, Cristo murió por nosotros." (Romanos 5:8).

-¿Cuál es la solución de estar separado de Dios? Creer en Cristo Jesús como el único camino hacia Dios Padre.

"Jesús respondió: "Yo soy el camino, la verdad y la vida. Nadie llega al Padre si no por mí." (Juan 14:6).

4. Tu parte es *rendirte*

- Deposita tu fe (depende de) Cristo Jesús como tu Señor y Salvador personal y rechaza tus buenas obras como medio para ganar la aprobación de Dios.

"Porque por gracia ustedes han sido salvados mediante la fe; esto no procede de ustedes, si no que es regalo de Dios, no por obras, para que nadie se jacte." (Efesios 2: 8-9).

- Entrégale a Cristo el control de tu vida, confíale tu vida a Él.

"Dijo Jesús a sus discípulos: "Si alguien quiere ser mi discípulo, tiene que negarse a sí mismo, tomar su cruz y seguirme. Porque el que quiera salvar su vida la perderá; pero el que pierda su vida por mi causa, la encontrará. ¿De qué sirve ganar el mundo entero si se pierde la vida?" (Mateo 16:24-26).

El momento en que decides creer en Cristo –confiándole tu vida a Él- Él te da Su Espíritu para que viva dentro de ti. Entonces el Espíritu de Cristo te capacita para vivir la vida abundante que Dios ha planeado para ti y te da Su poder para perdonar a otros y así tu corazón empieza a sanar. Si deseas ser totalmente perdonado por Dios y ser la persona que Dios quiere que seas, puedes decirle una simple y sentida oración como esta:

Oración de arrepentimiento para Salvación

Dios, quiero tener una relación verdadera contigo.
Reconozco que muchas veces he elegido andar por mi propio camino en vez de andar por el Tuyo. Por favor perdóname por mis pecados.
Jesús, gracias por morir en la cruz para pagar por mis pecados.
Ven a mi vida para ser mi Señor y mi Salvador. Dame Tu poder para practicar el perdón y para amar a aquellos que me han herido.
Empieza a sanar las heridas en mi vida con tu amor y hazme la persona que Tú quieres que yo sea.
En Tu santo nombre he orado. Amén.

APÉNDICE F

EL CORAZÓN DE DIOS EN EL PERDÓN

1. *Dios manda que nos perdonemos unos a otros.*

   "Sean bondadosos y compasivos unos con otros, y perdónense mutuamente así como Dios los perdonó a ustedes en Cristo." (Efesios 4:32).

2. *Dios quiere que perdonemos a otros porque Él nos ha perdonado.*

   "Tolérense unos a otros y perdonen si alguno tiene queja contra otro. Así como el Señor los perdonó, perdonen también ustedes." (Colosenses 3:13).

3. *Dios quiere que veamos la falta de perdón como pecado.*

   "Comete pecado todo el que sabe hacer el bien y no lo hace. (Santiago 4:17).

4. *Dios quiere que nos libremos de la falta de perdón y tengamos un corazón misericordioso.*

   "Dichosos los compasivos, porque serán tratados con compasión." (Mateo 5:7)

5. *Dios quiere que hagamos nuestra parte para vivir en paz con todos.*

   "Si es posible, en cuanto dependa de ustedes, vivan en paz con todos." (Romanos 12:18).

6. *Dios quiere que venzamos el mal con el bien.*

   "No te dejes vencer por el mal; al contrario, vence el mal con el bien." (Romanos 12:21).

7. *Dios quiere que seamos ministros de reconciliación.*

   "Dios....por medio de Cristo nos reconcilió Consigo mismo y nos dio el ministerio de la reconciliación" (2 Corintios 5:18-19)

APÉNDICE G

CÓMO ORAR POR AQUELLOS QUE TE HAN HERIDO

"El fruto del espíritu es amor, alegría, paz, paciencia, amabilidad, bondad, fidelidad, humildad y dominio propio. No hay ley que condene estas cosas." (Gálatas 5:22-23).

Señor, yo oro que (**NOMBRE**) sea lleno con el *fruto del amor* al ser plenamente consiente de Tu *amor* incondicional –y que como resultado pueda *amar* a otros.

Señor, yo oro que (**NOMBRE**) sea lleno con el *fruto de la alegría* al experimentar Tu *alegría* permanente –y como resultado transmita esa *alegría* interna a otros.

Señor, yo oro que (**NOMBRE**) sea lleno con el *fruto de tu paz* –Tu *paz* interna- y que como resultado pueda tener la *paz* que sobrepasa todo entendimiento hacia otros.

Señor, yo oro que (**NOMBRE**) sea lleno con el *fruto de la paciencia*, porque ha experimentado Tu *paciencia* –y que como resultado pueda extender esa misma *paciencia* extraordinaria a otros.

Señor, yo oro que (**NOMBRE**) sea lleno con el *fruto de la amabilidad*, al haber experimentado Tu *amabilidad* –y que como respuesta extienda esa misma *amabilidad* inmerecida a otros.

Señor, yo oro que (**NOMBRE**) sea lleno con el *fruto de bondad*, porque ha experimentado la *bondad* genuina de Jesús –y que como respuesta pueda reflejar la *bondad* moral de Jesús ante los demás.

Señor, yo oro que (**NOMBRE**) sea lleno con el *fruto de fidelidad*, porque se ha dado cuenta de Tu asombrosa *fidelidad* –y como resultado pueda tener el deseo de ser *fiel* a Ti, a Tu Palabra y a los demás.

Señor, yo oro que (**NOMBRE**) sea lleno con el *fruto de la humildad*, porque ha experimentado Tu *humildad* –y como respuesta pueda ser *humilde* con los demás.

Señor, yo oro que (**NOMBRE**) sea lleno con el *fruto del dominio* propio -*dominio propio* de Cristo- y como resultado pueda depender del *control* de Cristo para ser capaz de romper con la esclavitud y ser ejemplo para los demás.

He orado en el nombre de Jesús. Amén."

PRINCIPIOS PARA PERDONAR LA DEUDA MONETARIA

La Biblia está repleta de enseñanzas acerca del dinero y la deuda. Las preguntas sobre el manejo de las deudas de dinero pueden ser especialmente espinosas.

Principios para los Deudores

- Haz todo lo posible para evitar adquirir deudas que no puedas pagar y devolver el dinero que debes actualmente.

- Si no puedes devolver la cantidad completa rápidamente, propón pagar cuotas periódicas de algún valor, aunque sean muy pequeñas. ₁

- Dios espera que seas una persona de integridad –guardando tu palabra, honrando tus compromisos y cubriendo tus obligaciones. Por lo tanto, una persona íntegra sí desea devolver deudas legítimas.

- Aún si el que te ha prestado te perdona la deuda y las circunstancias cambian, permitiéndote pagar la deuda, ofrécete a hacerlo. Si el que te prestó desea perdonarte la deuda, entonces, con profunda gratitud acepta su gesto de generosidad como un regalo de gracia.

Principios para los Prestamistas

- Si realmente has perdonado una deuda, no esperes restitución sin tener en cuenta la capacidad o falta de capacidad del deudor para pagar.

- Hay momentos en los que pagar la deuda es imposible. Si circunstancias adversas se presentan en la vida del deudor y le impiden verdaderamente pagar la deuda, perdonarle la deuda a la persona sería apropiado y su omisión no indicaría falta de integridad si no falta de capacidad económica.

- Si has perdonado una deuda que el deudor más tarde se ofrece a devolver, tienes la prerrogativa de aceptar o no el pago, o puedes mantenerte en tu decisión inicial de perdonar la deuda.

- A los israelitas se les exigía cancelar sus deudas al final de cada séptimo año. Si esperas el pago de la deuda y no te la pagan, vas a estar amargado. Esa amargura será perjudicial para los involucrados. [2]

NOTAS

Capítulo 1 - "Palos y Piedras Pueden Romper Mis Huesos…"

1.   Proverbios 18:21
2.   1 Corintios 9:24
3.   Gálatas 5:7
4.   Isaías 40:31

Capítulo 2 – La Escuela de las Rocas Dolorosas

1.   1 Juan 2:9,11

Capítulo 3 – "¡Apedréenla! ¡Apedréenla!"

1.   Juan 8:11NKJV
2.   Salmo 18:2
3.   Proverbios 1:5
4.   Filipenses 4:13
5.   Colosenses 1:27
6.   2 Pedro 1:3-4 NKJV
7.   Romanos 12:19
8.   Romanos 4:7-8
9.   Salmo 103: 10-12
10.   Mateo 11: 28 NKJV
11.   Hebreos 12:1
12.   W.E. Vine, Diccionario Completo Expositivo Vine; s.v."Perdonar, Perdoné, Perdón."
13.   Romanos 12:17
14.   Proverbios 17:9

Capítulo 4 – "¿Cuál Padre le Da a Su Hijo Una Piedra?"

1.   Cathy Lunn-Grossman: "Americans´ Image of God Varies," USA *Today*, September 11, 2006.
2.   Mateo 7:9-11 ESV
3.   Salmo 103:10-12
4.   Miqueas 7:18-19
5.   Romanos 8:1-2
6.   Lucas 15:1-2 ESV
7.   Lucas 15:32 ESV
8.   Romanos 8:35,37-39
9.   Filipenses 2:5-7
10.   Filipenses 2:8
11.   Everett L Worthington, *Forgiving and Reconciling: Bridges to Wholeness and Hope* (Downer´s Grove, IL: InterVarsity Press, 2003), p.49.
12.   Éxodo 32:28
13.   Hechos 2:41
14.   John W. Reed, ed., *1100 Illustrations from the Writings of D.L. Moody for Teachers, Preachers, and Writers* (Grand Rapids: Baker Books, 1996), p.172.
15.   Salmo 100:5
16.   Mateo 18:21-22 NKJV
17.   Mateo 5:38-42
18.   2Corintios 5:18
19.   Jeremías 31:34
20.   Ron Lee Davis, *A Forgiving God in an Unforgiving World* (Grand Rapids: Zondervan Publishing House, 2003), pp. 3-4

Capítulo 5 - Deshaciéndose de la Cascada de Recuerdos

1.   Miqueas 7:19
2.   Corrie Ten Boom, *Tramp for the Lord* (New York: Barkley Publishing, 1978), pp55-57. Reimpreso con permiso de la revista *Guideposts*, Carmel, New York 10512. Todos los derechos reservados.www.guidepostmag.com
3.   Romanos 2:14-15

4.   Deuteronomio 19:19-21
5.   Lucas 6:36
6.   Salmo 51:1
7.   Lucas 23:34
8.   Hechos 10:43
9.   Isaías 53:6
10. 1 Pedro 2:20-21,23
11. Deuteronomio 32:35
12. Lucas 18:6-8
13. Mateo 18:35
14. Mateo 6:14-15
15. Ver Hechos 16:31
16. 1 Juan 5:11
17. Lucas 6:37-38
18. Mateo 6:14
19. Hebreos 12:15
20. 2 Corintios 2:10-11
21. 1Juan 2:9-10
22. Job 36:13
23. Efesios 4:30-31

Capítulo 6 – Removiendo las Duras Rocas de Resentimiento

1.   Juan 3:16
2.   Romanos 12:2
3.   Romanos 8:1
4.   Romanos 8:28
5.   Isaías 48:10 ESV
6.   Malaquías 3:2-3
7.   Génesis 37:45
8.   Génesis 39:21 ESV
9.   Génesis 40:8ESV
10. Génesis 45:5-8
11. Génesis 45:5 ESV
12. Génesis 45:7-8 ESV
1.   Proverbios 25:4
2.   Génesis 50:15
3.   Génesis 50:16

4.   Génesis 50:20 ESV
5.   Génesis 50:20
6.   Romanos 8:28 ESV

Capítulo 7 - Cortar el Fondo del Saco

1.   Isaías 40:29 NKJV
2.   Proverbios 23:7 NKJV
3.   2 Corintios 10:5
4.   Michael E, McCullough, Steven J. Savage, Everett L. Worthington, *To Forgive is Human: How to Put Your Past* in the Past (Downers Grove, IL, InterVarsity Press, 1997),p.79.
5.   Proverbios 24:17
6.   Mateo 6:12
7.   Robert Frost, *Our Heavenly Father* (Plainfield, NJ: Logos International,1978), p.63.
8.   Ver Filipenses 4:8
9.   Salmo 42:5; 42:11; 43:5
10.   2 Corintios 5:17 NKJV
11.   Mateo 6:12
12.   Proverbios 27:6 NKJV
13.   Santiago 2:14
14.   Robert D. Enrigh, Forgiveness Is a Choice: A *Step-by-Step Process for Resolving Anger and Restoring Hope* (Washington, D.C: APA Life Tools, American Psychological Association, 2001), p. 166
15.   Mateo 5:40-41

Capítulo 8 - Las Rocas No se Eliminan de la Noche a la Mañana

1.   Efesios 4:26
2.   John Bakeless, *The Journals of Lewis and Clark* (New York: Signet Classics,2002), p.51
3.   Juan 8:32
4.   Efesios 5:11
5.   Proverbios 24:24
6.   Eclesiastés 3:1,8

7.	Salmo 130:1
8.	Jeremías 15:18
9.	Alexander Pope, Essay on Criticism, part 2 (Whitefish, MT: Kessinger Publishings, 2004), p.19
10.	Marcos 11:25
11.	2 Pedro 1:3
12.	Romanos 12:19
13.	Mateo 18:21-22
14.	Filipenses 3 :13-14
15.	Richard Swenson, *A Minute of Margin* (Colorado Springs: NavPress, 2003), p.103.
16.	Filipenses 2 :1-2
17.	Ver Salmo 139:23-24
18.	Mateo 18:15
19.	Ver 2 Corintios 7:10
20.	Ver Proverbios 12:19
21.	Ver Proverbios 10:17
22.	Ver Proverbios: 4:23
23.	Ver Isaías 43: 18-19
24.	Salmo 146:7-8

Capítulo 9 – Evitando a los que lanzan Piedras

1.	Amós: 3-3
2.	2 Corintios 5:17-20
3.	Lucas 15:21
4.	J.R.R. Tolkein, *The Hobbit* (Boston: Houghton Mifflin, 2001), p.235
5.	Robert D. Enright, *Forgiveness in a Choice* (Washington, D.C: APA Life Tools, American Psychological Association,2001),p.30.
6.	Romanos 3:23
7.	C.S.Lewis, *The Four Loves* (New York: Harcourt Brace Jovanovich, 1960), p.169
8.	Efesios 4:15
9.	Gálatas 1 :10
10.	Ver Proverbios 28:13
11.	2 Corintios 7:10

12.   Lucas 19:1-10 ESV
13.   Paul Meier, *Free to Forgive* (Nashville: Thomas Nelson
       Publishers, 1991), p.58.
14.   Ver 1 Corintios 15:33

Capítulo 10 - Rompiendo el Poder de tu Agresor

1.   Mateo 5:44 NKJV
2.   1 Samuel 12:23
3.   Lucas 1 :37 NKJV
4.   1 Pedro 3: 9-11
5.   Mateo 19:26
6.   Marcos 9:23

Capítulo 11 – La Bendición oculta tras las "Pedradas" de Dios

1.   "Excerpts from Amish killer´s note," BBC News Online, http://
      newsbbc.co.uk/2/hi/Americas/5404714.stm
2.   1 Pedro: 4:12 NKJV
3.   C.S. Lewis, Mere Christianity (New York: Scribners, 1997),
      p.25.
4.   Philip Yancey, *Where Is God When It Hurts?* (Grand Rapids:
      Zondervan Publishing House, 1990), p.68
5.   Ibid. p.18.
6.   Job 23:10
7.   Romanos 5:3-5
8.   Romanos 8: 28 NKJV
9.   Job 42:2,5-6
10.   Sally Cohn, "What the Amish Are Teaching America",
      CommonDreams.org; www.commondreams.org/
      views06/1006-33.htm

Capítulo 12 – Enterrado Bajo Las Rocas de La Melancolía

1.   Miqueas 7:19
2.   Romanos 8:1
3.   Robert South, *Sermons Preached Upon Several Occasions*,
      Vol.2 (Grand Rapids: 4.Zondervan, 1997), p.18.

5.   2 Corintios 7:10
6.   Johann Christoph Arnold, *Why Forgive?* (Farmington, PA: Plough Publishing House, 2000),pp. 28-29
7.   1 Juan 1:9
8.   Mateo 5: 23-24
9.   Efesios 1 :7-8
10.   Juan 19:30
11.   Efesios 4:22-23
12.   Ver Mateo 4:1-11
13.   Juan 8:44
14.   Salmo 103:10-12 NKJV
15.   Hebreos 10:36 ESV
16.   Ver Salmos 32:5

Capítulo 13 - El Poder del Saco Vacío

1.   G.A. Pettit, "Forgiveness and Health," *In Context,* June 2000, http://www.context.org/ICLIB/IC39/Rijke.htm.
2.   Brenda Goodman, "Forgiveness Is Good, Up to a Point", Psychology Today, January/February 2004; www.psychologytoday.com/articles.
3.   Ver Efesios 1:13-14
4.   Ver Gálatas 5:22-23
5.   1 Pedro: 4:8
6.   Filipenses 1: 18-19
7.   2 Corintios 13:11
8.   1 Corintios 13:4
9.   Zacarías 7:9 ESV
10.   1 Pedro 2:12
11.   Romanos 12:12
12.   Proverbios 15:1
13.   1 Pedro 1:13
14.   Esta historia está narrada en el libro de Lee Strobel and Garay Poole: *Experiencing the Passion of Jesus* (Grand Rapids, MI: Zondervan, 2004), pp.75-76.
15.   Martin Luther King Jr., *Strength to Love* (Philadelphia: Fortress Press, 1981), pp.50,56.
16.   Romanos 5:6-8

17. Ellis Close, *Bone to Pick: Of Forgiveness, Reconciliation, and Revenge* (New York: Washington Square Press, 2004), p.4.

Capítulo 14 – Un Corazón de Piedra Encuentra Esperanza y Sanidad

1. Mateo 5:23-24
2. Mateo 5:44
3. Ezequiel 36:26

Apéndice C

1.Nieder and Thompson, *Forgive & Love Again* (Eugene, OR: Harvest House Publishers, 1991), pp.47-51.

Apéndice H

1. Romanos 13:8
2. Hebreos 12:15

Acerca de la Autora

June Hunt es una autora, cantante, conferencista y fundadora de Hope for the Heart, un ministerio mundial de consejería bíblica caracterizado por la emisora de radio ganadora de un premio que con el mismo nombre se escucha diariamente por toda Norteamérica.

Adicionalmente, *Hope in the Night (Esperanza en la Noche)* es el programa de consejería, en vivo de dos horas, de June, que ayuda a la gente a resolver problemas difíciles con esperanza basada en la Biblia y ayuda práctica. El programa radial de Hope for the Heart se transmite al aire en 25 países.

El dolor familiar que vivió en sus primeros años, fue el catalizador que le dio a June un corazón compasivo. Durante el tiempo que trabajó como directora en un ministerio con más de 600 jóvenes, se dio cuenta de la necesidad que había de consejería bíblica sana. Su trabajo con gente joven y sus padres condujeron a June a un compromiso en su vida de *proveer la verdad de Dios para los problemas de hoy.*

Después de años de enseñar e investigar, desarrolló *Counseling through the Bible* (Consejería a través de la Biblia), un curso de consejería basado en las Escrituras en el cual se tratan 100 temas como la depresión, el ser padres, ira y abuso, culpa y aflicción. Con base en este curso, June creó y produjo una serie de libros con temas de consejería llamada *Biblical Counseling Keys.* (Claves Bíblicas para Consejería que distribuye el ministerio CLC).

El Counseling Keys se convirtió en el fundamento para el Instituto de Consejería Bíblica Hope for the Heart, que inició en The Criswell College, donde June ganó el premio Master of Arts en consejería. Cada conferencia mensual en la base del Instituto en Dallas provee entrenamiento para ayudar a líderes espirituales, consejeros y otros cristianos solidarios a conocer las necesidades de los demás.

June ha servido como profesora invitada en universidades y seminarios tanto nacional como internacional, enseñando temas como: consejería en crisis, abuso infantil, abuso a la esposa, homosexualidad, perdón, soltería y valor propio. Sus trabajos se encuentran disponibles en 20 idiomas incluyendo ruso, rumano, ucranio, español, portugués, alemán, mandarín, coreano, japonés y árabe.

Es la autora de *Seeing Yourself Through God"s Eyes* (Viéndote como Dios Te Vé), *Bonding with Your Teen Through Boundaries* (Uniéndote a Tu Adolescente a Través de los Límites), *Caring for a Loved One with Cancer* (Cuidando al Ser Amado con Cáncer) y más de 30 HopeBooks (libros de apoyo) con temas diferentes. June también contribuyó a la Biblia para el Cuidado del Alma (*Soul Care Bible*) y la Biblia Devocional para la Mujer (*Women's Devotional Bible*).

Como música consumada, June ha sido invitada a numerosos programas nacionales de radio y televisión, incluyendo el programa NBC Today. Ha hecho giras internacionales con la USO y ha sido solista invitada en las Cruzadas de Billy Graham. Las cinco grabaciones: *Songs of Surrender, Hymns of Hope, The Whisper of My Heart, The Shelter Under His Wings y The Hope of Christmas* –todas reflejan un corazón lleno de esperanza.

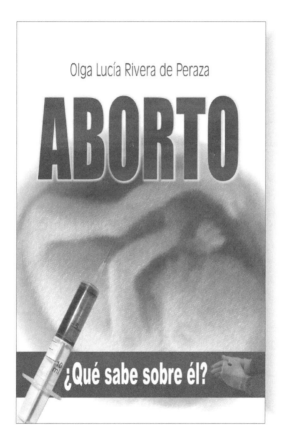

Olga Lucía Rivera de Peraza

ABORTO

¿Qué sabe sobre él?

CLC
CENTROS DE LITERATURA CRISTIANA

¡ADQUIERALO YA!